ИЗДАТЕЛЬСКИЙ ДОМ **СЕКРЕТ ФИРМЫ**

Валерий Панюшкин

Михаил Ходорковский

Узник тишины

История про то, как человеку в России
стать свободным и что ему за это будет

Москва
ЗАО Издательский дом «Секрет фирмы»
2006

УДК 334.012.32 (470) (092)
ББК 65.9 (2Рос) 09
    П16

Панюшкин Валерий

П16   Михаил Ходорковский. Узник тишины: История про то,
как человеку в России стать свободным и что ему за это будет.—
М.: ИД «Секрет фирмы», 2006.— 264 с.
ISBN 5-98888-006-1

Эта пронзительная и беспощадная книга не оставит никого равно-
душным. Вы будете либо соглашаться с ее автором, известным обо-
зревателем газеты «Коммерсантъ», либо яростно спорить с ним.
В любом случае вы испытаете настоящий шок от ее содержания. Читателя ожидают малоизвестные подробности биографии бизнесмена,
притягивающего общественное внимание, и сенсационные эксклю-
зивные откровения из тюремных застенков. Холодная логика рекон-
струкции и анализа событий нарушается взрывами гражданской боли
и ярости автора.

Ходорковский подобен форуму, на котором мы, люди, живущие
в России, спорим о том, кто мы есть на самом деле. Половина утверждает, будто мы великая нация. Вторая половина утверждает, будто мы
бесправные рабы. Выбор остается за читателем.

Редактор Игорь Гансвинд
Фото на обложке REUTERS
Фото В. Панюшкина — Евгений Дудин

УДК 334.012.32 (470) (092)
ББК 65.9 (2Рос) 09

В книге частично использованы материалы, опубликованные ранее автором
в газете «Коммерсантъ».

ISBN 5-98888-006-1

ОГЛАВЛЕНИЕ

ПРОЛОГ
7

ГЛАВА 1. АРЕСТ
9

ГЛАВА 2. В КОЛЬЦЕ ВРАГОВ
31

ГЛАВА 3. ОТРАВЛЕННЫЕ
53

ГЛАВА 4. МАНИЯ ЭФФЕКТИВНОСТИ
75

ГЛАВА 5. ПРОРВЕМСЯ!
95

ГЛАВА 6. ЗЕЛЕНОЕ ПИСЬМО
111

ГЛАВА 7. ОТКРЫТАЯ РОССИЯ
129

ГЛАВА 8. СЧИТАЕТСЯ ПОБЕГ
147

ГЛАВА 9. ЗАЛОЖНИК
163

ГЛАВА 10. РАЗГРОМ
181

ГЛАВА 11. ВЕРСИЯ ЗАЩИТЫ
203

ГЛАВА 12. УЗНИК ТИШИНЫ
221

ГЛАВА 13. ЗАКОННАЯ СИЛА
243

ЭПИЛОГ
261

Пятого июня 2005 года мы с женой, сыном и дочкой поехали в гости к друзьям на дачу. Жарили шашлыки, радовались в меру сил наступившему лету, обсуждали главную новость: приговор, вынесенный Мещанским судом города Москвы Михаилу Ходорковскому, — девять лет тюрьмы.

В нашей компании не было ни одного человека, который считал бы этот приговор справедливым. Впрочем, не было и ни одного человека, который считал бы Михаила Ходорковского святым.

Я весной 2005-го несколько раз ходил к Мещанскому суду на пикеты в поддержку Ходорковского, и к антенне моего автомобиля была привязана желто-зеленая ленточка — цвета компании ЮКОС, символ моего несогласия с приговором.

Мой шестнадцатилетний сын Вася привык знать, что в отношении Ходорковского происходит какая-то там несправедливость, против которой вяло протестует папа, но не вдавался в подробности. А в тот вечер по телевизору показывали фильм «Чистосердечное признание», и Вася уселся смотреть этот фильм, вероятно, чтобы понять, о чем так увлеченно беседуют за шашлыком взрослые.

В фильме рассказывалось про Михаила Ходорковского. Громоподобный голос диктора за кадром сообщал моему сыну Васе, что вот, дескать, Михаил Ходорковский был комсомольцем, спекулировал компьютерами, обманом приобрел нефтяную компанию ЮКОС, украденную у народа, ничего не делал, качал нефть и богател. Не платил налогов, убивал всякого, кто станет на пути, превратился в самого богатого человека в стране, но тут-то и был пойман и посажен в тюрьму за неуплату налогов.

— Папа,— Вася вытаращил на меня глаза, когда я зашел в комнату сказать, что пора собираться с дачи домой.— Почему же ты навязал ленточку на машину и ходишь на пикеты? Ты поддерживаешь преступника? Ходорковский же преступник? Нет?

Хорошо, что Вася все-таки выразил сомнение в справедливости телевизионной пропаганды. Была теплая ночь. Всю дорогу домой мы разговаривали с сыном про дело ЮКОСа. Вася задавал много вопросов, и чем больше я давал ответов, тем больше мне казалось, что вялых моих протестов против суда над Ходорковским недостаточно.

Я тогда впервые подумал, что дело Ходорковского — это не история про то, как посадили олигарха, и не история про то, как неправеден в России суд. Это история про то, как человеку в России стать свободным. И про то, что ему за это будет.

Вот эта история.

ГЛАВА 1

АРЕСТ

Двадцать пятого октября 2003 года адвокат Антон Дрель был разбужен телефонным звонком. Было очень раннее утро, часов пять или около того. Еще накануне стояла серая осень. Мокрые ветки, могильной плитой нависает небо, грязные автомобили — тягостное межсезонье, стремящееся в России занять собою весь календарь и лишь по нескольку дней в году оставляющее русской зиме с ее катанием на санках, северному лету с его шашлыками на свежем воздухе, цветению яблоневых садов весной и светофорным красно-желто-зеленым листьям осенью. По поводу портящегося климата лидер проигравшей на последних парламентских выборах либеральной партии «Союз правых сил» Борис Немцов пошутил как-то, что режим президента Путина совсем уже делает жизнь в стране невыносимой, и придется уезжать из страны, если когда-нибудь не прекратится дождь. А заместитель главы президентской администрации Владислав Сурков в интервью немецкому журналу «Шпигель» переврал эту фразу и сказал, что вот, дескать, либералы не связывают с Россией своего будущего, а думают только, как бы из России уехать.

Адвокат Антон Дрель подошел к окну. Он не очень понимал еще спросонья, что говорит ему в телефонной трубке взволнованный голос. А за окном был снег. В ту ночь выпал снег, так много, что улица сквозь стекло казалась наконец тихой и чистой в предрассветном мраке, и уютной, особенно от того, что скребла где-то вдалеке по асфальту лопата усердного дворника.

— Люди из ФСБ,— говорил голос в трубке.— Они взяли Михаила Борисовича и куда-то увели, а мы сидим теперь в самолете и не знаем, что делать.

— Почему вы думаете, что это люди из ФСБ? — уточнил адвокат.

— У них были куртки с надписью «ФСБ», и они предъявили документы.

— Так и говорите, люди в куртках с надписью «ФСБ».

Звонивший был помощником бизнесмена Михаила Ходорковского. Михаил Ходорковский был владельцем крупнейшей в стране нефтяной компании ЮКОС, богатейшим в стране человеком с личным состоянием 8 миллиардов долларов (если верить журналу «Форбс»), главой крупнейшей в стране благотворительной организации «Открытая Россия», занимавшейся образованием. Еще Михаил Ходорковский спонсировал оппозиционные партии «Яблоко» и «Союз правых сил» (СПС), которые не верили тогда, что не пройдут в парламент на ближайших выборах, а партнеры его спонсировали коммунистическую партию, которая не верила, что составит в парламенте немощное придушенное меньшинство. Правящую партию «Единая Россия» Михаил Ходорковский, разумеется, спонсировал тоже, ее спонсировали все богатые люди страны. Еще Михаил Ходорковский публично поссорился несколькими месяцами ранее с президентом Владимиром Путиным. И еще он был клиентом адвоката Антона Дреля — по этой причине, собственно, помощник и звонил адвокату.

Арест Михаила Ходорковского никакой неожиданностью для адвоката Антона Дреля не был, как не бывает неожиданностью первый снег, тем не менее каждую осень превращающийся в России в стихийное бедствие и парализующий города. Против компании ЮКОС и группы МЕНАТЕП, которой компания принадлежала и совладельцем которой тоже был Михаил Ходорковский, велось уголовное дело. Друг, партнер и сосед Михаила Ходорковского Платон Лебедев сидел уже в тюрьме по обвинению в неуплате налогов и финансовых махинациях. За пару недель до описываемых событий в офисе адвоката Антона Дреля прокуратура провела в рамках расследования дела Лебедева обыск. Это был незаконный обыск, потому что нельзя обыскивать адвоката, чтоб получить доказательства вины его клиента, и уж тем более незаконно обыскивать офис адвоката без судебного решения. Но во время обыска следователи изъяли договор аренды офиса и заявили, будто нет никаких доказательств, что перевернутое ими вверх дном помещение — офис адвоката Дреля. Еще работники прокуратуры изъяли официальный реестр акционеров ЮКОСа, где значилась среди прочих акционеров и одна Гибралтарская компания. Нашли и сказали, что вот, дескать, раскрыли Гибралтарский офшор, и непонятно, что там было раскрывать, если офшора этого никто не прятал, реестр был распечаткой из интернета, и не стоило ради реестра устраивать обыск. Еще они изъяли оригиналы лицензии Центробанка на открытие счетов Ходорковского и Лебедева в Швейцарии. Это было официально выданное Центробанком разрешение открыть счет в швейцарском банке, но прокуратура заявила, будто раскрыла тайные швейцарские счета.

Еще они вручили Антону Дрелю повестку на допрос по делу Лебедева. Это была незаконная повестка, потому что адвокат не может быть одновременно и свидетелем по делу своего клиента. Антон Дрель обратился тогда в адвокатскую палату, просил совета, как быть: если поедешь на допрос, нарушишь закон об адвокатуре, если не поедешь — нарушишь закон, предписывающий всякому гражданину неукоснительно и под страхом ареста являться на допрос по повестке. Уважаемые адвокаты сердились, говорили, что со сталинских времен не было такого безобразия, чтоб адвоката заставляли свидетельствовать против собственного клиента. А адвокат Антон Дрель полагал, что раз прокуратура так пренебрежительно относится к законности своих обысков и допросов, то, стало быть, разрешил же кто-то прокуратуре относиться к закону пренебрежительно. Кто разрешил? Власть? Кремль? Президент? Больше некому. На этот раз обошлось.

В это же приблизительно время Антон Дрель приезжал к Михаилу Ходорковскому домой обсудить сложившуюся ситуацию и что-то еще про слияние нефтяной компании ЮКОС с нефтяной компанией «Сибнефть». Дело было в деревне Жуковка на Рублевском шоссе, в этом загородном доме Михаила Ходорковского, который его жена Инна уставила сплошь комнатными растениями и декоративными свечками, свечками с запахом лаванды, свечками с запахом розы. Они сидели на кухне, прислуги не было, Михаил Ходорковский сам заваривал чай. Они обсуждали юридические тонкости объединения ЮКОСа и «Сибнефти», и Михаил Ходорковский сказал: «Вероятность моего ареста девяносто процентов».

Потом Михаил Ходорковский с семью пиарщиками и помощниками поехал по регионам встречаться с губернаторами и студентами. Официально заявлялось, что цель поездки Ходорковского — рекламировать в регионах объединенную компанию «ЮКОС-Сибнефть», разъяснять населению, что от объединения компаний все люди в России только выиграют, потому как снизится цена на бензин и заведутся новые социальные программы. Неофициально, говорит лидер СПС Борис Немцов, Ходорковский хотел пообщаться с губернаторами и студентами, понять, насколько губернаторы могут быть недовольны авторитарностью центральной власти и насколько студенты могут быть недовольны устанавливаемой в стране диктатурой.

Мама Ходорковского Марина Филипповна говорит, что, уезжая в эту свою командировку, сын по-особенному как-то с нею попрощался. Последний раз перед арестом мать и сын виделись на празднике подмосковного лицея-интерната «Коралово», который Михаил Ходорковский построил для сирот, чьи родители погибли на войне, на границе, в горячих точках или во время террористических актов. Этим лицеем-интернатом заведовали и до сих пор заведуют родители Ходорковского. Каждый год в ближайшие к 19 октября, дню открытия Царскосельского лицея, выходные в «Коралово» устраивают праздник. Обычно на этот праздник приезжали высокопоставленные пограничники и военные, государственные деятели и дипломаты, а дети для них пели, танцевали и как-нибудь еще демонстрировали успехи в самодеятельном творчестве. Обычно на таких праздниках Михаил Ходорковский разговаривал с государственными шишками, а мама старалась не подходить к сыну и не отвлекать сына от важных разговоров. Но в тот год никто из высокопоставленных чиновников не приехал, кроме социального министра Починка. И много раз за время праздника Ходорковский подходил к маме, говорил какие-то ни к чему не обязывающие глупости и смотрел печальными глазами. Ближе к вечеру подошел попрощаться. Марина Филипповна сидела в кресле, а он опустился рядом с ней на колени и сказал:

— До свиданья, мама.

— Я провожу тебя до двери.

— Не надо.

Ходорковский летал на арендованном самолете из города в город — Липецк, Воронеж, Нижний Новгород — и в каждом городе по вечерам, разделавшись с лекциями и встречами, спрашивал у своих приближенных, велика ли, на их взгляд, возможность его ареста, и надо ли садиться в тюрьму или лучше уехать за границу. Приближенные говорили, что садиться в тюрьму не надо, что лучше, конечно, уехать, поскольку эмигрант может бороться за свое доброе имя, а заключенный не может. Ходорковский возражал, что уехать сейчас значило бы бросить своего товарища Платона Лебедева в тюрьме, значило бы признать себя виновным, тогда как он, Ходорковский, ни в чем не виноват.

Пока он был в этой своей командировке, его жене Инне почти каждую ночь снились разрушающиеся города. Она стояла посреди искаженного сном города, и дома вокруг принимались вдруг оседать, электрические провода рвались и искрили, неоновые буквы соскальзывали с рекламных вывесок и разбивались об асфальт в мелкие осколки. А она бежала сквозь разрушавшийся город, спасала себя или спасала детей, но искаженные пространством сна улицы шли по кругу, как шла по кругу тропинка в фильме «Ведьма из Блэр». А в другую ночь на снившийся Инне город обрушивалось вдруг высотою с многоэтажный дом цунами, и Инна опять бежала, а волна, разрушая квартал за кварталом, следовала за ней.

Михаил Ходорковский отрабатывал в поездке своей город за городом — Белгород, Тамбов, Саратов. И каждый вечер обсуждал с одними и теми же людьми по кругу одну и ту же тему — возможный арест. Тема ареста возникала как будто случайно за ужином или после ужина, и каждый вечер приближенные выдвигали тысячу толковых аргументов в пользу эмиграции, не отвечая только на главный вопрос: а как же Платон? Ходорковский же слушал. Эти обсуждения похожи были на деловые совещания в ЮКОСе, когда Ходорковский долго слушал мнения своих подчиненных, а потом вдруг принимал решения, стремительные и твердые.

Решение он принял в Нижнем. Там слежка, которую спецслужбы и раньше вели за Ходорковским, стала открытой: машина филеров демонстративно присоединялась к кортежу миллиардера. Там выпал снег на день раньше, чем в Москве. Аэропорт не давал вылета, пришлось вернуться в гостиницу. Команда ворчала, что возвращаться, дескать, плохая примета, и что Ходорковский, дескать, утратил легендарную свою способность возить всюду с собой по стране хорошую погоду. А Ходорковский вдруг получил телефонный звонок неизвестно от кого.

Вся команда должна была лететь в Иркутск открывать молодежную политическую школу, из Иркутска потом — в Эвенкию, представлять в Совет Федерации главу компании «ЮКОС-Москва» Василия Шахновского. Но Ходорковский получил телефонный звонок неизвестно от кого и принял решение.

Всей своей команде Ходорковский велел возвращаться в Москву. А сам с двумя или тремя людьми полетел в Иркутск, зная, что его арестуют по дороге. По дороге его самолет приземлился на дозаправку в городе Новосибирске, в салон вошли люди в куртках с надписью «ФСБ», предъявили Михаилу Ходорковскому ордер на арест и увели его.

Помощник рассказывал адвокату Антону Дрелю эту историю по телефону, адвокат думал, что вот же готовился к аресту своего клиента, но все равно не знает, что делать. Ехать в Новосибирск? Куда? В следственный изолятор? А где в Новосибирске следственный изолятор? Да и там ли Ходорковский? Да не везут ли его в Москву? Или в другой какой-нибудь город? Городов много.

Адвокат набрал телефон Владимира Дубова, совладельца ЮКОСа и соседа Ходорковского по выстроенному недавно ЮКОСом для своих топ-менеджеров поселку Яблоневый сад в Жуковке.

Дубов слушал молча. Никаких вопросов не задавал, понимая, может быть, что адвокат и так расскажет все известные ему подробности. Молчал и слушал, и в конце сказал: «Спасибо, Антон, что позвонил»,— и на том разговор закончился.

Что же все-таки делать-то? Прямо сейчас отправить телеграммы министру внутренних дел, главе ФСБ и генеральному прокурору? Потребовать объяснений. Какого черта! Ну да, конечно, Михаил Ходорковский не явился на допрос по делу Платона Лебедева, но когда на имя Ходорковского пришла соответствующая повестка, юридическая служба ЮКОСа официально уведомила прокуратуру, что Ходорковский Михаил Борисович явиться в назначенный день на допрос не может, поскольку находится в командировке, представляет по регионам объединенную компанию «ЮКОС-Сибнефть», вернется из командировки в понедельник, и на допрос обязательно придет. Поездку Ходорковского каждый день показывали по телевизору, про нее писали в газетах, очевидно было, что Ходорковский никуда не собирается эмигрировать. Почему вдруг арестовали? Почему именно сейчас?

— Ты давай выясняй, когда первый самолет на Новосибирск,— сказала адвокату Антону Дрелю жена, со свойственной женам уверенностью, будто рано или поздно мужчина должен уйти на войну, а война где-то далеко, и туда нужно ехать на поезде или лететь на самолете.— Все равно ведь тебе сегодня лететь в Новосибирск, так лучше раньше.

Антон и сам понимал, что к вечеру так или иначе окажется в Новосибирске, но прежде чем лететь, решил поехать в Жуковку и посоветоваться с акционерами ЮКОСа: с Владимиром Дубовым, который молчал, выслушивая новость об аресте, и другими. Антон побрился, оделся в джинсы и свитер, положил кое-какие бумаги в вечный свой портфель, который со дня ареста Платона Лебедева телекомпании любили снимать крупным планом, чтоб на фоне крупно показываемого портфеля перейти от репортажной части вранья («сегодня Михаил Ходорковский был вызван на допрос в прокуратуру...») к содержательной части («налоговые претензии к ЮКОСу только на первый взгляд кажутся новой темой, на самом деле...»).

Звонили с радиостанции «Эхо Москвы», звонили с телеканала НТВ, звонили какие-то западные репортеры. Говорили, будто когда Ходорковского арестовывали в Новосибирске, он споткнулся, конвоиры приняли это его резкое движение за попытку побега, ударили его прикладом по голове и пробили ему голову. Антон не знал, правда ли это. Или слух? Всем Антон повторял скудную свою информацию про людей в куртках с надписью «ФСБ».

Адвокат почти уже стоял в дверях, когда телефон зазвонил снова, и на панели высветились слова: «МБХ мобильный». МБХ — это, разумеется, Михаил Борисович Ходорковский.

У Михаила Ходорковского была смешная манера. Он звонил людям, да вот хоть бы и своему адвокату Антону Дрелю, и говорил: «Здравствуйте, Антон, это Ходорковский, у вас есть сейчас возможность со мной поговорить?» Антона всегда эта манера очень забавляла, потому что вот звонит тебе олигарх со всеми своими, если верить журналу «Форбс», миллиардами, и спрашивает: «У вас есть сейчас возможность со мной поговорить?»

Антон подумал: «Ничего себе, вся Москва его ищет, все информационные агентства на ушах, интернет кипит — арест, арест, арест, — полстраны в истерике, а он звонит себе преспокойно по мобильному телефону».

— Алло,— сказал адвокат Антон Дрель.

— Здравствуйте, Антон,— голос был спокойный.— Это Ходорковский. У вас есть сейчас возможность со мной поговорить?

— Еще бы! Вас ведь, кажется, арестовали.

— Меня доставили в генпрокуратуру в Москву, вы не могли бы подъехать?

— А-а-а...— адвокат хотел задать какой-то важный вопрос, но не знал какой.

— Ну, если можете, подъезжайте.

— А как меня пустят? — пришедший наконец в голову вопрос оказался детским.

— Подъезжайте,— голос Ходорковского усмехнулся в трубке.— Вас пропустят внизу. Только возьмите свои адвокатские документы.

Антон Дрель сменил джинсы и свитер на пиджак и галстук, и поехал в Технический переулок, в прокуратуру. Его действительно пропустили внутрь без всяких вопросов. Он шел по коридору и видел, что кабинет следователя Каримова, лично курировавшего дело Лебедева, открыт, то есть начальство на работе, несмотря на субботний день. Когда Антон поравнялся с кабинетом прокурора, Каримов изнутри притворил дверь, как бы умывая руки и давая понять, что не имеет отношения к допросу, который производит в этом же здании подчиненный ему следователь. Или просто не хотел разговаривать?

В кабинете следователя сидели собственно следователь и Михаил Ходорковский. Они болтали о погоде.

О том, что вот в Москве выпал снег этой ночью, а в Саратове двумя днями раньше, и Ходорковский рассказывал, что снегопад был силен, и из-за снегопада даже закрывали аэропорты. Ходорковский курил. Он начал курить за несколько месяцев до ареста и будет курить еще несколько месяцев в тюрьме, а потом бросит.

— Тут меня допрашивали, Антон,— сказал Ходорковский, едва только Дрель вошел и поздоровался.— Давайте будем протокол допроса подписывать.

— А жалобы заявлять разве мы никакие не будем? — спросил адвокат.

— Да ладно, не заморачивайтесь. Какие жалобы? На кого? На следователя? — Ходорковский кивнул головой в сторону следователя.— Люди делают свою работу. Им приказали, они расследуют. Какие к людямто претензии?

Антон Дрель говорит, что адвокат не имеет права спорить с клиентом. Адвокат может спорить с клиентом только в том случае, если клиент хочет дать показания против себя, и показания эти могут привести клиента к смертной казни. На самом деле, жалоб можно было заявить сразу несколько, и главное — можно было заявить жалобу на сам факт задержания Михаила Ходорковского.

— Да ладно, не заморачивайтесь,— сказал Ходорковский.

Эта его фраза не вела к смертной казни, и адвокат решил не спорить с клиентом. Они стали подписывать протокол допроса, а когда протокол был подписан, следователь вручил Ходорковскому повестку. В повестке значилось, что через полтора часа Ходорковский Михаил Борисович должен явиться в кабинет такой-то, и там ему будет предъявлено обвинение. Теоретически по закону на полтора часа Ходорковский был свободен. По закону он мог сейчас встать и выйти из прокуратуры на улицу, созвать пресс-конференцию прямо хоть в скверике напротив, обратиться к городу и миру, попить чаю в кафе, повидаться с женой, бежать, наконец.

Практически адвокат и его клиент понимали, разумеется, что им не позволят покинуть здание. Но адвокат все равно уточнил:

— Так мой клиент свободен? Мы на полтора часа можем пойти погулять?

Следователь побледнел.

— Вы же никуда не пойдете? — спросил следователь, испуганно глядя Ходорковскому в глаза и представляя себе, вероятно, что если этот человек встанет сейчас и попытается выйти вон, то придется ведь как-то его останавливать силой, а после применения силы не избежать адвокатских жалоб, либерального воя в прессе и выговора от начальства. — Вы же никуда не пойдете?

— Конечно, не пойдем, — улыбнулся Ходорковский. — Антон шутит.

Почти полтора часа они прогуливались по коридору прокуратуры. Вероятно, за ними следили. Но у Антона в кармане поминутно звонил не отобранный на входе мобильный телефон, и разные журналисты спрашивали, что с Ходорковским. И Дрель рассказывал, что клиент его задержан, и что через час ему будет предъявлено обвинение, и разъяснял, что «задержан» не значит «арестован», потому что санкцию на арест дает суд, и, видимо, когда будет предъявлено обвинение, Ходорковского повезут в Басманный суд, который выберет меру пресечения. Теоретически законно было сказать всем этим журналистам, что вот он Ходорковский рядом, и передать Ходорковскому трубку, и тот мог бы делать заявления для прессы. Можно было хотя бы попробовать. Никакой закон там, в коридоре прокуратуры, не запрещал Ходорковскому давать интервью по телефону. Но они не попробовали.

Адвокат позвонил только матери Ходорковского Марине Филипповне. Много лет, с тех самых пор, как ее сын стал заниматься бизнесом, каждое утро, едва проснувшись, Марина Филипповна включала радио, ждала дурных новостей о сыне. Она уже слышала, разумеется, что сын ее арестован, и что во время задержания ему будто бы пробили прикладом голову.

— Алло. Марина Филипповна. Здравствуйте. Это адвокат Антон Дрель.

— Здравствуйте, Антон,— она изо всех сил сохраняла хладнокровие.

— Вот то страшное, что вы слышали про удар по голове, это неправда. Никакого удара не было. Михаил Борисович чувствует себя хорошо.

— Откуда вы знаете?

— Он стоит рядом со мной.

— Вы можете передать ему трубку?

— Нет, не могу. Теперь уже нельзя.

На самом деле можно было. Формально Ходорковский был еще свободен, и на него не распространялись никакие запреты на телефонные звонки. Но адвокат не хотел злить прокуратуру. Он отключил телефон и сказал:

— Если обвинение будет тоненьким, на одном или двух листочках, вы, скорее всего, выйдете сегодня на свободу, например, под подписку о невыезде. А если обвинение будет толстым, как у Платона Лебедева, вас, скорее всего, заключат под стражу. Вы это понимаете, Михаил Борисович?

— Я понимаю,— Ходорковский кивнул.

Через час один из следователей предъявил Ходорковскому обвинение. Папка была такой толстой, что следователь даже не предлагал обвиняемому прочесть, в чем его обвиняют. Следователь сказал, что сейчас Ходорковского на автозаке (это такой тюремный грузовик с решетками) повезут в Басманный суд и изберут меру пресечения, и все это потому, что Ходорковский не явился в четверг на допрос.

— Ну что я буду с вами спорить,— Ходорковский пожал плечами.— От вас же все равно ничего не зависит.

— Но ко мне у вас претензий нет? — уточнил следователь.

— К вам никаких претензий.

После этих слов следователь вручил адвокату Антону Дрелю повестку на допрос по делу Ходорковского.

— Вы вообще понимаете, что сейчас нарушаете закон?! — Дрель вскочил со стула.— Вы только что при мне предъявляли обвинение моему клиенту, а теперь хотите допросить меня по его делу в качестве свидетеля?

— Вы просто неправильно все понимаете,— сказал следователь, заметно успокоенный тем, что к нему нет претензий.— Не надо только вот этого шума. И Генри Резнику говорить не надо. Просто распишитесь в получении повестки.

И адвокат Дрель расписался в том, что в ближайший понедельник явится на допрос, на который по закону являться ему было нельзя.

Из прокуратуры в Басманный суд поехало два автозака. Один пустой — к главному входу суда, и задача этого грузовика заключалась в том, чтоб отвлекать внимание собравшихся у дверей журналистов. Второй автозак с запертыми внутри Ходорковским и Дрелем подъехал к черному ходу. В суде никого не было по случаю выходного дня. Судебное заседание было закрытым.

Сейчас, когда прошло почти два года, когда Михаил Ходорковский и Платон Лебедев осуждены на восемь лет тюрьмы, и готовятся им новые обвинения, адвокат Антон Дрель говорит:

— Я не понимаю, зачем надо было устраивать закрытый процесс? Что бы изменилось, если бы процесс был открытым? Зачем надо было нарываться на наши протесты и жалобы? Все равно бы мерой пресечения избрали арест. Все равно абсурдные доводы, заставившие суд избрать мерой пресечения заключение под стражу, стали известны прессе. Вы же знаете, Ходорковского заключили под стражу на том основании, что у него, дескать, был заграничный паспорт, и он мог бежать из страны. Бред! Если бы он хотел бежать, он бы бежал. Его предупреждали неоднократно. Он несколько раз публично заявлял, что эмигрантом не станет. Это было давление, конечно, давление.

Суд был скорым. Минут двадцать или двадцать пять. Судья зачитал постановление об аресте и попросил у Ходорковского паспорт, чтоб передать паспорт конвою, а конвой чтоб отвез обвиняемого в следственный изолятор.

— В какой изолятор? — переспросил адвокат.

— Не скажем пока,— покачал головой судья.— Давайте паспорт.

— У меня нет паспорта,— Ходорковский был спокоен.— Паспорт остался дома. Я в командировку летал на частном самолете, поэтому без паспорта.

— Вот это да! — воскликнул адвокат Антон Дрель, пораженный новым поворотом событий.— Так перед вами не Ходорковский! Вы забыли установить личность задержанного! Вы избрали только что меру пресечения Ходорковскому Михаилу Борисовичу, но у вас нет никаких доказательств того, что мой клиент — Ходорковский Михаил Борисович. Пойдемте, Михаил Борисович.

Теоретически, по закону Ходорковский мог тогда встать и уйти. Пришлось бы снова его арестовывать, устанавливать личность, снова предъявлять обвинение и снова везти в суд. Теоретически, если бы процесс был открытым, может быть... Практически адвокат и его клиент понимали, что им не дадут ступить шага из зала суда.

Судья побледнел, как побледнел давеча следователь, и сказал, глядя на Ходорковского:

— Вы же не будете отрицать, что вы Ходорковский? — голос у судьи был испуганный. Если бы Ходорковский стал отрицать тогда, что он Ходорковский, и если бы пришлось задерживать его силой и исправлять на ходу процессуальные ошибки, то не миновать бы судье как минимум строгого выговора.— Вы же не будете отрицать?

— Да ладно, не буду. Все равно ведь от вас ничего не зависит.

Это было великодушие или высокомерие. Ходорковский то ли жалел судью, понимая, что нельзя же требовать от человека милосердия, если на милосердие не дано санкции сверху; то ли просто не считал судью человеком, поскольку привык решать вопросы именно с теми людьми, которые рулят страной, и не привык думать, будто по нашу сторону кремлевской стены к кому-то вообще стоит относиться серьезно.

Ходорковский отдал адвокату часы и обручальное кольцо, потому что в тюрьме не полагается иметь металлических предметов. Часы были недорогие для миллиардера. Ходорковский вообще никогда не любил дорогих часов с турбийоном, предпочитая им электронные со множеством электронных функций. А про кольцо Ходорковский попросил не говорить жене, что пришлось кольцо снять. Он попросил адвоката поехать к его жене и поддержать ее, а еще позвонить его родителям и попросить их, чтоб пожили несколько дней с невесткой и внуками.

— Вы не жалеете? — спросил адвокат.

— Нет, хочется жить в нормальной стране.

Журналисты потом, описывая этот эпизод со слов адвоката Антона Дреля, утверждали, будто Ходорковский выразил желание жить в свободной и демократической стране. Нет. Он не подбирал тогда слов. Он сказал: «Жить в нормальной стране. Но здесь».

Часы и кольцо адвокат Антон Дрель запечатал в конверт и положил у себя в конторе в сейф рядом с таким же конвертом, где уже лежали часы и кольцо Платона Лебедева. Почти через полтора года, когда много дней подряд Ходорковскому и Лебедеву будут оглашать приговор, адвокат Антон Дрель каждый день будет брать с собой оба конверта, на случай оправдания его подзащитных, каким бы невероятным ни казалось оправдание.

Ходорковского увезли. Дрель поехал к жене арестованного миллиардера, и родители Ходорковского были уже там. Мать Ходорковского Марина Филипповна говорит, что они люди старшего поколения, крепче, больше готовы к ударам судьбы, чем молодая женщина—мать троих детей. И поэтому, едва услышав по радио, что их сын арестован, собрались и приехали к невестке и внукам. В доме работал телевизор. По телевизору каждый час повторяли одни и те же новости, что арестован, что предъявлено обвинение, что суд выбрал мерой пресечения содержание под стражей. Жена Ходорковского Инна была близка к обмороку. Старшая дочь Ходорковского Настя не верила, что все это происходит на самом деле. Младшие мальчики-близнецы не понимали, что случилось нечто серьезное, но, чувствуя всеобщую нервозность, капризничали.

Марина Филипповна говорит, что тогда, в день ареста, они с мужем приехали к Инне и детям не только для того, чтобы поддержать их в трудную минуту, но еще и с практической целью — они ждали обыска в доме сына.

Весь следующий день, воскресенье, от Ходорковского не было никаких вестей. Дежурный в прокуратуре, когда адвокат Антон Дрель звонил в прокуратуру, говорил, что не может дать никаких справок, потому как выходной, и лучше позвонить завтра.

Антон понимал, что дело предстоит большое и сложное, что он один не справится с таким делом, а потому звонил разным известным адвокатам и спрашивал, не согласятся ли те стать защитниками Ходорковского. Некоторые отказывались сразу. Некоторые просили время на размышление, для того, вероятно, чтоб позвонить в Кремль, спросить разрешения и тогда уже отказаться, когда знакомый кремлевский чиновник посоветует не лезть, куда не просят.

В воскресенье же в здании компании ЮКОС на Дубининской улице в Москве в холле около лифтов повесили большой портрет Михаила Ходорковского. Портрет провисит около месяца, пока новый глава компании Семен Кукес не велит портрет снять, потому что портрет, дескать, злит прокурорских работников, приходящих с проверками.

В воскресенье же по просьбе Марины Филипповны к Ходорковским приехала адвокат, специалистка по

обыскам и научила семью арестованного миллиардера, как себя во время обыска вести. Обыск обычно
осуществляют целой бригадой. Следователи обычно
ищут одновременно в нескольких комнатах, и члены
семьи должны заранее решить, кто в какой комнате
будет следить, чтоб следователи не подкинули оружия
или наркотиков. Особенно надо обращать внимание
на то, чтоб первым делом следователи в присутствии
понятых обыскали туалеты. Потому что через час после начала обыска кто-то из следователей может зайти в туалет по малой нужде, запереться и спрятать за
унитазным бачком что-нибудь запрещенное, чтоб самому же потом это запрещенное и найти в присутствии понятых.

Они ждали обыска. Они не выходили из дома. Разве
только в ближний магазин. Отправляясь за покупками,
Марина Филипповна видела, что неподалеку от дома
стоит днем и ночью автобус с затемненными стеклами,
а вдоль забора прогуливаются немолодые, но влюблен-
ные пары. Стоило Марине Филипповне поравняться
с влюбленными, те немедленно принимались целовать-
ся, чтоб не показывать своих лиц.

Делая покупки, Марина Филипповна боялась, что
вот сейчас, пока она в магазине, как раз и начнется
обыск, дом оцепят, ее не пустят внутрь, и внутри не
хватит людей, чтоб следить за ловкостью рук прокурорских работников. На всякий случай пожилая женщина присмотрела дыру в заборе и договорилась с невесткой, чтоб всегда держать одно окно на первом этаже незапертым. Она всерьез готова была, если обыск
начнут в ее отсутствие, перелезть через забор и через
окно забраться в дом.

В понедельник утром за пару часов до назначенно-
го времени допроса Антон Дрель позвонил в прокуратуру, сказал, что хотел бы, когда приедет на допрос,
узнать, в каком именно изоляторе содержится его
подзащитный, и получить разрешение на посещение
своего подзащитного.

— Приезжайте, конечно,— сказал прокурорский работник в телефоне.— Приезжайте, получайте разрешение, а на допрос приходить вовсе не надо.

— Как не надо? Я же повестку подписывал! Как же я теперь не приду? Я приду. Показаний давать, разумеется, не буду, но на допрос приду.

— Не надо приходить на допрос. Допрос отменен.

Сейчас, по прошествии почти двух лет, адвокат Антон Дрель говорит:

— Наверное, они подумали, что это будет too much допрашивать и дискредитировать таким образом единственного адвоката. Я ведь был тогда единственный адвокат.

В понедельник же, до того еще, как Антон Дрель успел приехать в прокуратуру, узнать, где содержится его подзащитный и получить разрешение посещать его, зазвонил телефон. Голос в телефоне с заметным кавказским акцентом сказал:

— Антон? Михаил сидит рядом со мной на нарах. Передайте семье, что у него все хорошо.

Вообще-то из тюрьмы нельзя позвонить по телефону. Звонок из тюрьмы означал, что Ходорковского поначалу посадили в общую камеру, в огромную камеру, где сидит шестьдесят или сто человек, где временами царит воровской закон, а временами нет никакого закона. Там из окна в окно тянутся через тюремный двор нитки, и по этим ниткам заключенные пересылают друг другу письма, «малявы», а тюремная администрация не смеет или ленится нитки срывать. В общей камере, на «общаке», можно достать все: телефоны, продукты, наркотики, деньги, женщин. И тюремная администрация даже потакает всем этим нарушениям режима, иначе как бы попадали в тюрьму телефоны, деньги, наркотики и женщины. Одновременно общие камеры являются рассадником туберкулеза, и в них нечем дышать. Всякого нового человека общая камера принимает враждебно, потому что в ней и без него тесно. Но, видимо, к Ходорковскому уголовники прониклись в первый же день воровским своим уважением, раз на второй день кто-то из них стал ради него звонить по запрещенному в камере мобильному телефону, который охрана может так же отнять, как накануне принесла.

— Михаил сидит рядом со мной на нарах. Передайте семье, что все у него хорошо.

Во вторник, 28 сентября 2003 года, когда адвокат Антон Дрель впервые посетил своего подзащитного, Ходорковского уже перевели из общей камеры в изолятор №4 тюрьмы «Матросская Тишина». Там камеры небольшие, по четыре-пять человек, и один из соседей по камере наверняка работает «наседкой», пытается разговаривать по душам и пересказывает разговоры тюремному начальству за то, чтоб грозящий ему, например, пожизненный срок заменили «двадцаткой».

Адвокат Антон Дрель пришел в «Матросскую Тишину», предъявил документы, двери раскрылись для адвоката в «накопитель», специальную комнату, где досматривают, прежде чем пустить в тюрьму, и где двери на время досмотра заперты с обеих сторон. Из накопителя адвокат прошел в изолятор, там был еще один накопитель при входе, и оттуда адвоката провели в специальную снабженную «тревожной кнопкой» комнату для встречи с подзащитными.

Ходорковский был уже там. Его привели заранее, руки за спину, обыск при входе. Адвокат спросил:

— Как вас приняли в общей камере?

Ходорковский ответил:

— Плохих людей я в тюрьме не встречал. Нормально приняли.

С тех пор адвокат Антон Дрель почти каждый день ходил в тюрьму «Матросская Тишина» встречаться с подзащитным. Я просил адвоката Антона Дреля узнать, читал ли Михаил Ходорковский книгу Александра Солженицына «Архипелаг ГУЛаг». Солженицын пишет, что когда тебя арестовывают, надо кричать, сопротивляться и изо всех сил цепляться за каждую процессуальную ошибку арестовывающих, потому что, если попал в тюрьму, то это все, конец, назад хода нет.

— Вы читали,— спросил адвокат Антон Дрель,— «Архипелаг ГУЛаг»?

— Читал. Давно. В институте,— ответил Ходорковский.

И я не знаю, правду ли он ответил. И если ответил правду, то почему столько раз в день своего ареста пренебрег советом кричать, сопротивляться и цепляться за всякую процессуальную ошибку арестовывающих. Или он намеренно шел в тюрьму?

ГЛАВА 2

В КОЛЬЦЕ ВРАГОВ

В институте Михаил Ходорковский был секретарем факультетского комсомола, не думаю, чтобы у них в списке обязательной для чтения литературы значился «Архипелаг ГУЛаг». И вообще не думаю, чтоб там у них в комитете комсомола Менделеевского химико-технологического института принято было читать какие-нибудь книги, рассказывающие о свободе, доблести и принципиальной трагичности человеческой жизни. Я не знаю, честно говоря, откуда люди берут моральные принципы и гражданские убеждения, если не читают книг. Наверное, берут откуда-то. Из фильмов, из комсомольских собраний, из бесед с родителями, из общения с ребятами во дворе?

Но они не читали Библию, потому что Библия — опиум для народа и темно написана. А стало быть, думали и продолжают думать, будто пути Господни логичны, как бизнес-план или схема оптимизации налогов, и всякий раз неисповедимость Господних путей застает их врасплох. Они не читали Толстого и Шекспира, потому что это авторы скучных и толстых книг из школьной программы. А раз не читали, то, стало быть, не готовы были к тому, как исподволь в стране начинается война, какой безудержной бывают алчность и жажда власти, каким отвратительным бывает предательство. Они не читали Донна, и не знали, по ком звонит колокол. Не читали Диккенса, и не знали жалости. Не читали Пастернака, Набокова, Фолкнера, Камю, Кафку, Бродского. Не читали древних. Даже Плутарха. Говорят, что когда Ходорковского арестовали, журналистка Юлия Латынина передала ему Плутарха в следственный изолятор, чтоб не думал, будто он первый человек на Земле, подвергающийся гонениям, и почитал, как вообще принято вести себя человеку, когда судьба наезжает на грудь паровым катком. Надо ему было сесть в тюрьму, чтобы всерьез заинтересоваться существованием судьбы и предназначением доблести.

Впрочем, он не был необразованным или глупым там в институте. Тогдашние его товарищи, как правило, не забытые Ходорковским и в меру способностей устроенные им на разные должности в МЕНАТЕП или в ЮКОС, вспоминают, что Миша всегда был умным и серьезным.

— Он никогда не участвовал в наших увеселениях,— говорит институтский товарищ Ходорковского, закончивший свою карьеру в должности главного юкосовского налоговика, очень талантливого налоговика.— Мы там, в комитете комсомола, жили, в буквальном смысле слова, одной семьей, а Миша никогда не участвовал. Всегда читал книжку, даже в перерывах между лекциями. И всегда добивался какой-нибудь цели.

— Это была художественная книжка? — спрашиваю.

— Нет, научная.

— Это была какая цель?

— Практическая.

Мы сидим в маленьком лондонском ресторанчике. Мы гуляем из бара в бар между Пикадилли и Оксфорд-стрит, вокруг нас разноцветная лондонская толпа, тепло, а следом за нами, как соглядатаи, перемещаются от бара к бару перуанские музыканты, составляющие шумный духовой оркестрик. Лето 2005 года. Ходорковский в тюрьме, осужден на девять лет. А этот человек, бывший институтский товарищ Ходорковского и бывший его налоговый консультант, получил здесь, в Лондоне политическое убежище, не может вернуться в Россию, где ждет его десять лет тюрьмы, мучится ностальгией, смотрит побитой собакой и говорит, что нельзя же было нефтяной компании не оптимизировать налоги, нельзя же было не использовать «дыр» в неуклюжем российском законодательстве. Потому что «дыры» эти использовали же конкуренты, все конкуренты, даже государственные сырьевые компании. Потому что во всем мире используют же «дыры» в законодательстве, и называют это «налоговым планированием»! Потому что в том-то и заключается искусство налогового консультанта, чтоб заплатить меньше налогов законно.

— Мы отвлеклись,— говорю.— Расскажи мне лучше, вы действительно верили всему этому идеологическому комсомольскому бреду?

— Не знаю, как Миша, я верил. Я был убежденным комсомольцем, ходил в рейды по общежитиям, по концертам, к синагоге ходил.

Я пишу Ходорковскому письмо в тюрьму. Это очень странное ощущение — писать письмо в тюрьму. Если пишешь в тюрьму, никогда ведь не знаешь, кто именно прочтет твое письмо, и кто именно тебе ответит. А что если я пишу Ходорковскому, но письма мои читает следователь, и отвечает мне какой-нибудь кремлевский пиарщик? Проверить нельзя.

«Уважаемый Михаил Борисович,

...в комсомол я вступил четырнадцати лет, потому что вступали все, и потому что без комсомольского билета нельзя было стать студентом института иностранных языков, как я мечтал. Помню унизительную процедуру приема. Развалившись на стуле под портретом Ленина, школьный комсорг спрашивал, выучил ли я устав, помню ли, что такое принцип демократического централизма, и могу ли назвать признаки бог знает какой еще ерунды. Я, разумеется, устав не выучил и признаков не помнил, потому что не могу выучить и помнить что-либо, в чем не вижу смысла. К слову сказать, комсорг наш теперь стал видным деятелем Русской православной церкви, и так же, вероятно, экзаменует неофитов, только не по вопросу демократического централизма, а по вопросу filioque, к примеру».

Я нарочно пишу письмо так, чтоб провоцировать. Я хочу узнать, почему ему тогда не было противно, и когда ему захотелось вдруг жить «в нормальной стране». Я пишу:

«Помню, как нас гоняли встречать Ким Ир Сена. Кортеж лидера дружественного корейского народа, каковой народ плошку риса в день почитал за счастье, двигался по улице Горького (теперешняя Тверская), а нас выстроили вдоль тротуара, вручили корейские и советские флажки, а за нашими спинами стояли мрачные люди из КГБ в серых костюмах, тыкали нас костяшками пальцев в позвоночник, велели улыбаться и махать флажком».

Воспоминания злят меня. Я вспоминаю, как дружил с подпольными музыкантами, которые противопоставляли себя официальной эстраде и которые, к слову сказать, сами стали теперь официальной эстрадой, бывают приглашены в Кремль, концертируют для прокремлевского молодежного движения «Наши» (тот же комсомол). Но тогда их песни типа «Козлы» и «Выйди из-под контроля» почитались политической провокацией. Концерты происходили на частных квартирах. Посреди таких квартирных концертов (нарочно ли, не знаю, но обычно во время исполнения песни «Козлы») в квартиру врывался наряд милиции, задерживал всех присутствующих, а потом направлял свои протоколы в комсомольскую организацию, где состоял тот или иной любитель музыки. Меломана выгоняли из комсомола, и это в большинстве случаев равнялось отчислению из института. Наводили милиционеров на подпольные концерты тоже, как правило, комсомольцы, почитавшие стукачество своим долгом. Я пишу Ходорковскому:

«Уже к восемнадцати годам я комсомол ненавидел, причем не за коммунистическую идеологию, а за бессовестное вмешательство в частную жизнь людей. Комсомольцы-дружинники, если помните, врывались в комнаты студенческих общежитий, и студенты могли быть подвергнуты репрессиям вплоть до отчисления из института за то только, что, например, любили друг друга. О, господи, мы были молодые люди! Мы любили праздники: выпивать, танцевать, флиртовать с девушками.

Отвратительнее всего было то, что комсомольцы чувствовали свое неписанное право распоряжаться нашими судьбами, судьбами своих товарищей в обход закона, никак официально не связывавшего обучение в институте с членством в комсомоле, а членство в комсомоле — с неучастием в студенческих вечеринках. Точно так же, Михаил Борисович, как в отношении Вас прокуратура чувствует сейчас свое право не соблюдать процессуальные нормы, а телекомментаторы чувствуют свое право не соблюдать нормы журналистской этики. Вы задумывались об этом, когда были главой факультетского комсомола? Или Вы воспринимали это свое право сильного как естественное право? Или Вам удавалось каким-то чудом никогда свое право сильного не использовать?

Еще, я помню, комсомольцы совершали рейды к синагоге. У синагоги в Москве собирались молодые люди, в основном, разумеется, евреи, но не только. Поводом для того, чтоб пойти к синагоге, могло быть желание молодого человека отыскать себе учителя иврита, каковой учитель вполне мог оказаться кагэбэшным стукачом, отчего поиск учителя становился увлекательной и рискованной игрой. Заодно у синагоги можно было встретить знакомых, разузнать, кто собирается эмигрировать, кто подал документы и кто получил отказ. В конце концов, можно было просто познакомиться с симпатичной девушкой или юношей.

В день Радости Торы молодые люди у синагоги танцевали, обнявшись, прямо на улице, поскольку в день Радости Торы положено танцевать от радости. А комсомольские организации, по указанию КГБ, не иначе, посылали к синагоге своих активистов патрулировать. Комсомольцы фотографировали танцевавших перед синагогой молодых людей, передавали фотографии в КГБ или институтскому комсомольскому начальству, то есть Вам, Михаил Борисович. Точно так же комсомольские патрули посылали и к православным церквям на Пасху. Отправление религиозного обряда (танцы в день Радости Торы, участие в крестном ходе) приравнивалось к антисоветской деятельности с тою же безапелляционностью, с какой теперешняя власть посчитала попыткой государственного переворота Вашу общественную деятельность в „Открытой России" и финансирование оппозиционных партий. Так как же Вы в институтские годы относились к тому, что система, частью которой Вы являлись, подавляла свободу вероисповедания? Не знали об этом? Не задумывались? Объясняли для себя как-то? Как?»

Я жду ответа от Ходорковского из тюрьмы. Это очень странное ощущение — ждать ответа из тюрьмы, потому что не знаешь ведь, когда тебе ответят и кто именно. А что, если письмо мое не дошло до Ходорковского, а читает его следователь? (Ну пусть почитает, в конце концов.) А что если ответ, который я получу, напишет не Ходорковский, а какой-нибудь пиарщик из Кремля, или из ЮКОСа — все равно? Проверить нельзя. Михаил Ходорковский, который сидит в тюрьме и пишет время от времени открытые письма социал-демократического содержания, разительно отличается от Михаила Ходорковского, возглавлявшего два года назад компанию ЮКОС. И непонятно почему. То ли теперешний образ Ходорковского-узника формируют по большей части журналисты и адвокаты. То ли тогдашний образ Ходорковского-олигарха формировала по большей части пресс-служба ЮКОСа. То ли и то, и другое. То ли ни то, ни другое, а просто потеря могущества, арест, суд и тюрьма переменили Ходорковского до неузнаваемости.

— Я не узнаю его в этих его письмах из тюрьмы,— говорит жена Ходорковского Инна.— Он очень переменился, судя по письмам, и я не могу понять, как.

— Разве вы не видитесь с мужем? Вы же ходите на свидания.

— Нет, это через стекло, по телефону. В присутствии конвоя. Подслушивают, следят. Я так про Мишу ничего не понимаю. Я жду, чтоб его отправили в зону, поехать к нему и получить свидание лично.

— Вы верите, что его когда-нибудь отпустят из тюрьмы в зону?

Мы сидим в «Book-кафе» на Самотечной улице. Инна красивая молодая женщина, с тонкими-тонкими пальцами и огромными-огромными карими глазами, не участвующими в улыбке. Она улыбается. У нее на щеке — тщательно замазанное пудрой или тональным кремом раздражение, какое бывает у людей на щеках после нервного срыва. Всякий раз, когда я пытаюсь выразить ей сочувствие, она отвергает сочувствие. Она говорит об аресте мужа как об испытании лично для нее, об испытании, которое нужно пройти, и станешь сильнее, и как только пройдешь — мужа отпустят. Она говорит, что один из ее младших сыновей-близнецов (Илья) — мамин, то есть может обходиться без отца и не может обходиться без матери, а другой (Глеб) — папин, то есть может обходиться без матери и не может обходиться без отца. Она рассказывает, что только однажды брала близнецов на свидание к отцу в тюрьму, что малыши не поняли толком, почему отец за стеклянной перегородкой и говорить с ним можно лишь по телефону. Но через несколько дней поздно вечером Илья пришел и сказал: «Мама, там Глеб плачет». Пятилетний Глеб в спальне плакал, как плачут взрослые мужчины, уткнувшись в подушку, без единого звука, только содрогались плечи. Часа через полтора мальчика удалось успокоить, и он сказал:

— Папа придет?

— Придет,— ответила Инна.

— Но ведь когда он придет, мы будем большие, как Настя,— мальчик имел в виду свою старшую пятнадцатилетнюю сестру Настю.

— Нет,— ответила Инна,— папа придет раньше. Он придет через год.

Мы сидим в «Book-кафе», Инна рассказывает, нам приносят кофе, я делаю удивленное лицо и спрашиваю:

— Почему вы думаете, что через год?

— Ну потому что хватит уже. Мы уже все поняли. Мы изменились. Я только не понимаю, так ли Миша изменился, как в письмах. Но явно мы изменились оба, пора перестать нас мучить.

— Вы имеете в виду власть, прокуратуру, суд? Вы ждете от них жалости?

— Нет,— Инна машет как-то легким движением тонких пальцев вверх к потолку, видимо, пытаясь изобразить этим жестом Провидение.— Нет, Путин его не отпустит.

И в тот же день я получаю от Ходорковского письмо из тюрьмы. Орфографию и пунктуацию сохраняю:

«...Постараюсь максимально честно, хотя конечно прошедшее время накладывает отпечаток. Я был абсолютно убежденным комсомольцем, верил в коммунизм, верил, что вокруг враги, которых мы сдерживаем силой оружия.

Поэтому пошел на „закрытую специальность" и хотел (мечта) работать на оборонном заводе. К слову, поработал, правда, недолго и очень понравилось. Абсолютно был равнодушен к истории, философии и вообще гуманитарным наукам, кроме экономики (Экономика химической промышленности — был у нас такой предмет, очень мне легко давался).

В комсомоле отвечал за оргработу (взносы, собрания, массовые мероприятия) — очень любил. А с парткомом всегда спорил и с ректором, Ягодиным (слава Богу, это был Ягодин). Он меня называл — „мой самый непокорный секретарь". Отстаивал то, что считал разумным по студенческим делам (общежитие, кафе, материальную помощь, стройотряды...). Разбирал персональные дела, правда „крови" верующих или „инакомыслящих" на моих руках нет — спецфакультет, таких у нас не было. Но за пьянку в институте, утерю секретных тетрадей, за драку в общаге гнал из комсомола, а в нашем случае значит и из института.

Был молод и уверен в своей правоте, ни о чем другом не думал.

Мы в кольце врагов, на передовом рубеже, слабости не должно быть места. Ну дурак был, дурак — как могу еще оправдаться?

Когда мама мне сказала, что ей „стыдно за сына" (когда я пошел на комсомольскую работу) — запомнил, но не понял.

Прошу поверить, именно не понял, что она имела в виду, а спросить постеснялся, а мама — решила не объяснять.

Сломалось мое мировоззрение после поездок за границу в 1990—1991 годах. Для меня был шок, когда я увидел там не врагов, а нормальных, хороших людей. На всю жизнь запомнил случай во Франции. Мы сидели в баре (пивном), пили пиво с одним французским аристократом. Вдруг он очень по-дружески начал разговаривать с официантом, который нам подавал пиво и протирал столик. Потом я спросил — откуда он его знает. Он показал на единственный „Роллс" на стоянке — это была машина официанта, который был владельцем сети таких пивных, но считал важным для себя работать с клиентами официантом несколько раз в неделю, чтобы „понимать бизнес".

Мелочь, но для меня был шок. К слову, я взял с него пример и везде старался время от времени работать на „рабочих" местах. Чтобы „понимать бизнес".

В общем, не враги, а вполне „свои ребята". А если нет кольца врагов, то зачем все? Почему нельзя жить нормально, почему надо жечь людей, их жизни, их судьбы?»

Когда я показываю это письмо Инне, она не улыбается. Она с легкой даже обидой вспоминает, как жила в Медведкове, училась на вечернем, хотела найти работу прямо в институте, пошла устраиваться лаборанткой на одну из институтских кафедр, а там велели принести из комитета комсомола «комсомольскую путевку», без которой, дескать, взять на работу никого нельзя. А в комитете комсомола подумали, что такая красивая девушка им и самим нужна, предложили Инне заниматься комсомольской отчетностью, и когда пришло время первого отчета, зампоорг (абракадабренное словечко, означающее «заместитель по организационной работе») Миша Ходорковский предложил девушке с отчетом помочь. С этой ночи, проведенной вдвоем за столом, заваленным ведомостями об уплате членских взносов, началась у них любовь. Но Инна вспоминает комсомол без энтузиазма, как без энтузиазма вспоминает и первое время совместной жизни в маленькой гостинице на окраине, и потом съемные совминовские дачи. Я спрашиваю:

— Когда счастье-то было? Ну, вот знаете, такие всполохи счастья бывают?

— Знаю. Позавчера. Когда дети подошли ко мне на улице и прижались все.

Мать Ходорковского Марина Филипповна наоборот улыбается, когда я показываю ей письмо: «...мама мне сказала, что ей „стыдно за сына" — запомнил, но не понял». Она улыбается, что запомнил, и говорит:

— Я действительно не хотела, чтоб Миша работал в комсомоле, я хотела, чтоб он был ученым. Я и когда он в партию собрался вступать, тоже была против. По комсомольской и партийной линии шли ведь у нас в основном лентяи и дураки, которые не хотели или не могли трудиться. А Миша хорошо учился, институт закончил с красным дипломом.

Мы разговариваем с Мариной Филипповной в лицее-интернате «Коралово», в маленьком особо стоящем домике, где располагается контора лицея. Лицеем заведует отец Михаила Ходорковского Борис Моисеевич, в конторском домике у него кабинет, а за кабинетом — крохотная комната с диваном и телевизором, чтоб можно было пожилому человеку отдохнуть посреди дня, не слишком отрываясь от дел. Вот на этом-то, собственно, диване мы с Мариной Филипповной и сидим, а Борис Моисеевич ходит вокруг по кабинету и кличет маленькую всего на свете боящуюся собачонку. Собачка, кажется, испугалась меня, забилась под телевизор, и Борис Моисеевич не может ее найти.

— Боря, да она где-то здесь, не беспокойся,— говорит Марина Филипповна.

— А вдруг за дверь выбежала? — беспокоится Борис Моисеевич.

— Что же вы,— спрашиваю,— не объяснили сыну, почему вам за него было стыдно, когда он пошел на комсомольскую работу?

— Я подумала,— отвечает Марина Филипповна, найдя и извлекая из-под телевизора собачку,— что пусть лучше Миша повзрослеет и сам поймет. Боря, она здесь!

Это был такой у наших родителей способ оберегать детей, я помню. Наши родители иногда понимали, в какой стране живут, но берегли детей от понимания страны. Они боялись, что со всею горячностью молодости, узнав, что академик Сахаров, например, не враг, а узник, дети бросятся защищать академика Сахарова. Боялись, что, узнав о существовании целой горы запрещенной литературы, мы захотим прочесть эту литературу. Боялись, что, узнав о несправедливости войны, мы захотим остановить войну. Боялись, что любой из этих благородных порывов приведет нас к нищете, изгнанию, тюрьме или смерти. Боятся и до сих пор, потому что ничего не изменилось. В конце концов, мы как были в кольце врагов, так, если верить телевизору, в кольце врагов и остались. Ходорковский, кажется, просто не заметил, как из защитников осажденной крепости был переквалифицирован во враги. Ну так многие в нашей стране не замечали, как из героев становились вдруг врагами: предприниматели времен нэпа, верные ленинцы, академик Сахаров — я по-разному отношусь к этим людям, но все они даже и не успели заметить, как из защитников стали врагами. Вчера тебя награждали, сегодня арестовывают. Такая страна.

— Миша был очень убежденный,— говорит Марина Филипповна.— Он прямо горел этими своими идеями. Он говорил: «Мама, если не мы, то кто же?» Он говорил, что вот можно поехать в стройотряд, сделать что-то полезное и заработать денег. Он зимой на каникулах ездил туда, куда его комсомольцы должны были поехать в стройотряд летом, договаривался о фронте работ, о стройматериалах, о том, где ребята будут жить, что будут есть.

Я пишу Ходорковскому письмо в тюрьму. Из письма видно, какой я умный и хороший:

«Михаил Борисович,
в стройотряде я был два дня. Этого времени хватило мне, чтоб понять, что мы строим коровник из ворованных материалов, и цель строительства — не коровник, а воровство. На второй день вечером мы курили с товарищем на завалинке, и я спросил, как же это так получается, что фундамент мы выстроили некачественно да и не доделали вовсе, а колхозный инженер, или кем там был этот человек на „газике“, принял у нас фундамент как доделанный, закрыл наряд и заплатит по этому наряду денег? Товарищ объяснил мне, что наряды закрывают не оттого, что работа сделана качественно и в срок, а оттого, что бригадир наш выпивает с местным начальством. А местному начальству выгодно, чтоб коровник был построен плохо, потому что чрезмерный расход строительных материалов можно списать на неумелость студентов, то есть украсть, и ремонтировать плохо построенный коровник можно потом хоть каждый год, заново воруя стройматериалы. Я был очень молодой и не знал, что противопоставить советской коррупционной системе хозяйствования, поэтому просто сбежал. Вы же возглавляли строительные отряды, если не ошибаюсь, четыре года. Не находите ли Вы, что сегодняшняя коррупция — то же вечное строительство одного и того же коровника только в особо крупных размерах? Вы перестали быть

частью коррупционной системы? Когда? В связи с чем? Зачем? Вы действительно думали, что коррупционная система позволит Вам выйти из нее, да еще и бороться с нею?»

И Ходорковский отвечает мне из тюрьмы:

«...Стройотрядами горжусь до сих пор: работал „бойцом" под Москвой, бригадиром в Молдавии, мастером, командиром на БАМе.
Работал по-настоящему, без дураков, на самой грязной работе, очень были нужны деньги. Лето давало „приварок" на весь год к стипендии и работе, на которой работал весь год (дворником). Особенно, когда появилась семья.
Даже на „картошке", где я был командиром,— заставил председателя моему отряду заплатить. Беспрецедентный случай! За работу!..»

Тут надо пояснить, во-первых, что собирать гниющую картошку в колхоз студентов в Советском Союзе посылали вместо учебы и не платили за это, так что случай беспрецедентный действительно. Во-вторых, надо пояснить, что Ходорковский рано женился, Инна — его вторая жена, у него есть сын от первого брака, и про первую его жену Марина Филипповна говорит:
— Она очень хорошая женщина, мы до сих пор общаемся, я очень переживала, когда они расстались, потому что у них был ребенок. Но как-то сразу мне было понятно, что они не будут жить вместе,— Марина Филипповна улыбается, вернувшись, видимо, к предыдущей мысли о стройотрядах, и говорит: — Вы знаете историю про пруд?
В начале восьмидесятых годов, зимой, в каникулы Михаил Ходорковский, будучи уже бригадиром, кажется, строительного отряда, поехал в колхоз, где летом предполагалось трудиться его отряду. В колхозе надо было выкопать пруд для разведения зеркальной рыбы

карп. Работа была тяжелая, большая и малооплачиваемая, потому что кто же станет хорошо оплачивать земляные работы. Показывая молодому бригадиру Ходорковскому свое коллективное хозяйство, председатель завел юношу, между прочим, на склады, и склады колхозные были завалены селитрой — ее использовали как удобрение, кажется, или инсектицид.

— О! — сказал Ходорковский,— селитра. А давайте мы вам пруд копать не будем? Давайте мы вам его взорвем?

— Что значит, взорвем? — председатель, вероятно, живо представил себе пруд, взрываемый молодыми балбесами из Менделеевского института, вздымающиеся к небу столбы воды и летящую по небу зеркальную рыбу карп.

— Ну, несколькими направленными взрывами сделаем большую яму. Пара дней уйдет на подготовку взрывов, пара дней на то, чтобы потом все выровнять. За пять дней будет у вас пруд, а мы потом вам что-нибудь еще построим.

— Чем взорвем? — председатель смотрел на молодого бригадира, и не нравилось, вероятно, председателю, как горел у молодого бригадира глаз совершенно неуместным комсомольским задором.

— Да вон же сколько селитры.

Тут бригадир Ходорковский принялся объяснять председателю, что его строительный отряд — это не просто студенты, а студенты-химики, что сам он, Михаил Ходорковский, дипломник и отличник, на военной кафедре специализируется по взрывному делу, что из селитры и нескольких еще простых веществ, каковые наверняка найдутся в колхозе, очень даже легко можно сделать взрывчатку, выкопать шурфы, заложить, и ка-а-ак...

— Не надо,— резюмировал председатель, потому что был мудрый человек и с большим жизненным опытом.— Копайте лучше лопатой. Как люди.

Все следующее лето бригадир Михаил Ходорковский вместе с бойцами своего строительного отряда копал лопатой пруд, который можно было устроить за пять дней, и, вероятно, тогда ему пришло в голову, что хорошо бы создать кооператив, который торговал бы техническими идеями.

К концу восьмидесятых годов упали мировые цены на нефть. Конспирологи говорят, будто упали они не сами по себе, а потому, что администрация Соединенных Штатов Америки, желая вынудить Советский Союз прекратить дорогостоящую войну в Афганистане, договорилась с ОПЕК, организацией стран—экспортеров нефти. Страны ОПЕК увеличили квоты, «залили» нефтью мировой рынок, цены упали, и Советский Союз, чья экономика строилась, как и теперь в России, в основном на экспорте нефти, обнищал.

Если это так, то тогдашнему американскому президенту Рональду Рейгану, открыто объявившему Советский Союз империей зла, повезло — хотел выгнать Советы из Афганистана, а получилось, что разрушил советскую экономику, советский военно-промышленный комплекс и в конце концов — весь Советский Союз.

Плановая государственная экономика, замешанная на нефти, оказалась решительно беспомощной. Не только не хватало денег на ведение войны и строительство военной техники, но не хватало даже просто еды и одежды. За редкими импортными товарами стояли многочасовые очереди. Про всякий советский товар ходил анекдот, дескать, что это за вещь, которая в задницу не вставляется и не жужжит? Ответ — советское устройство для жужжания в заднице. В Москву, которая снабжалась едой, по советским меркам, более или менее прилично, добирались из ближних и дальних пригородов люди за продуктами. Утром на электричке в столицу, вечером с полными сумками некачественной колбасы — домой. Эти электрички так и назывались колбасными. Советский Союз проигрывал по всем фронтам. Может быть, тяжелей всего для советского государства было то, что не хватало денег на спецслужбы. Люди переставали бояться кагэбэшников, партийцев и комсомольцев. Диссидентствующие деятели культуры с нескрываемой издевкой спрашивали при встрече своих кураторов из ГКБ: «Ну что, брат, туго? У меня новая книжка (пластинка, альбом) вышла на Западе. Подарить?» И кураторы соглашались принять унизительный подарок, поскольку не было у них в бюджете госбезопасности валюты на приобретение запрещенных книжек, необходимых же, чтоб знать врага в лицо.

Империя умирала, символически выражая свое умирание ежегодными почти смертями своих генеральных секретарей: Брежнев, Андропов, Черненко. Последний генеральный секретарь ЦК КПСС (он же первый и единственный президент Советского Союза) Михаил Горбачев, не знаю уж, что было у него на самом деле на уме, стал понемногу сдаваться. Народ требовал демократии и свободы, а Горбачев в ответ провозгласил невнятные «Демократизацию», «Перестройку» и «Гласность». Подозреваю, что тогдашняя элита думала, будто народ только вид делает, что хочет свободы и демократии, а на самом деле — хочет просто хлеба, колбасы и джинсов. И боюсь, к сожалению, что это была правда.

Так или иначе, коммунисты разрешили частное предпринимательство. Мелкое, надо сказать, частное предпринимательство: шашлычные, лотки, пошивочные мастерские, цеха, производившие отвратительные на вкус чебуреки. Мелкие предприятия эти назывались какими-нибудь придуманными терминами, потому что идеология запрещала коммунисту назвать предприятие предприятием, ибо так, по мнению ортодоксов, мог называться только большой государственный завод. Фирмой или компанией называть советские предприятия, даже мелкие, тоже было нельзя, ибо слова «фирма» и «компания» запятнаны были тем, что так назывались частные предприятия у враждебных капиталистов. Придумывались слова «кооператив» или «Центр НТТМ» (Центр научно-технического творчества молодежи). Вот, собственно, Центр НТТМ и создал тогда

Михаил Ходорковский, решительно забросив научную и комсомольскую работу.

Принято считать, что богатые люди в теперешней России — сплошь либо бывшие комсомольцы, либо бывшие фарцовщики, либо бывшие бандиты. Так оно, похоже, и есть. Похоже, умирающая советская элита рассудила так: раз уж нельзя без частного предпринимательства и без миллионеров, то пусть уж лучше будут свои, идеологически подкованные и проверенные предприниматели и миллионеры.

Я не могу судить, продавал ли Центр НТТМ Ходорковского, созданный ради продажи технических идей, в действительности технические идеи для промышленности. Кажется, действительно что-то продавал. Но лучшими своими идеями пользовался сам.

Инна Ходорковская говорит:

— Глупо обвинять Мишу в воровстве. Он не такой. Воровство это для него скучно. Он выдумывает идею, запускает ее и забывает о ней, выдумывает новую. У него все время шарики в голове вертятся.

Вот лишь несколько идей, рожденных в недрах НТТМ Ходорковского. Первая называется «Завтрак в дорогу». Идея эта, кажется, не была воплощена, но упомянем о ней ради ее несомненного изящества. Если купить булочку за три копейки, кусок колбасы за три копейки, плавленый сырок за пять копеек, за две копейки помидор и за копейку бумажный пакет, то потратишь четырнадцать копеек. А если сложить булочку, колбасу, сырок и помидор в бумажный пакет, то продавать это на вокзале можно за пятьдесят копеек. Прибыль втрое.

Вторая идея называется «Варенка». Тогда в моду вошли вареные джинсы. Можно было купить в магазине рабочей одежды отвратительно сшитые из дурного денима советские рабочие штаны, прополоскать их в ванне с камешками и специальным раствором (химики же! химики!) — и продать втрое дороже.

Третья идея называется «Польская водка и армянский коньяк». Водка тогда в Советском Союзе была по талонам или втридорога на черном рынке. И наши герои завозили в Москву польскую водку и армянский коньяк.

Четвертая идея называется «Компьютеры», и вот уж эта идея принесла Михаилу Ходорковскому такие деньги, каких и цифр не знал в Советском Союзе никто, кроме математиков. Во-первых, Госплан ошибся, посчитав, что электронные вычислительные машины народному хозяйству нужны большие и мощные. На самом-то деле выяснилось, что они нужны маленькие и персональные. Во-вторых, спецслужбы, которые тщились с целью предотвращения самиздата учесть каждую в стране пишущую машинку, посчитали персональный компьютер слишком опасным вольнодумством, поскольку можно на компьютере размножать диссидентскую литературу, и в результате компьютеров в стране не было. И ввозить их большими партиями запрещалось, а разрешалось ввезти только один компьютер для себя. Ну так надо создать большую сеть людей, ездящих за границу, или нарочно ездить за границу и каждый раз привозить компьютер. Прибыль — 3000%. А когда еще немного оттает режим, и разрешат завозить компьютеры грузовиками, у Ходорковского уже западные партнеры образовались, и уже сбыт внутри Союза налажен, и уже программисты свои, и русификация клавиатуры, и программы на русском языке, и он обыгрывает конкурентов.

Пятая идея называлась «Банк». Ходорковский начал строить частный банк еще до того, как принят был закон, разрешающий открывать частные банки. И к тому времени, как закон был принят, банк уже фактически существовал. А до закона банков в Советском союзе было, грубо говоря, два — один для расчетов внутри страны, другой — для расчетов за границей. И ни один из этих банков не кредитовал мелких предпринимателей, которые расплодились, как грибы после дождя. И даже вполне уважаемым, крупным и государственным предприятиям банки давали деньги постатейно, согласно государственному планированию. То есть, если, например, ты совхоз, у тебя огромный урожай, и надо нанять сезонных рабочих, ты не можешь заплатить им, сняв деньги с собственного же счета, на котором деньги есть, но предназначены, предположим, для покупки удобрений. Ты бы заплатил рабочим, продал урожай, купил удобрения и остался в прибыли, но не можешь — плановая экономика не умела предвидеть, что земля ни с того ни с сего вдруг уродит втрое против обычного, и не предусмотрела сезонных рабочих.

Бог знает, какие тогда со всей этой деятельности платились налоги. Не было в Советском Союзе налогового законодательства для каждой новой идеи. Законы противоречили друг другу. Законы менялись. За куплю-продажу валюты, например, в Советском Союзе можно было получить большой тюремный срок или даже расстрел. А в перестройку обмен валюты хоть и оставался вне закона, но за него не арестовывали. И только уже когда на каждом углу был пункт обмена валюты, появился закон, разрешающий валюту обменивать.

Новый банк решили назвать по первым буквам разбогатевшего уже НТТМ. НТТМ назывался на комсомольский еще манер Центром межотраслевых научно-технических программ. А банк на капиталистический уже манер назывался МЕНАТЕП.

Мы прогуливаемся с Мариной Филипповной Ходорковской по территории лицея-интерната «Коралово». Марина Филипповна показывает мне школу и коттеджи, выстроенные на 150 детей-сирот из горячих точек. Еще показывает пустырь, где должны были быть выстроены коттеджи на тысячу сирот. Но сын в тюрьме, компания разрушена, финансирование прекращено.

— Я спросила его, когда только он начал заниматься бизнесом,— вздыхает Марина Филипповна,— тебя не посадят? А он ответил, нет, дескать, времена изменились. Но я не верю, что времена изменились. Я с того самого времени, как Миша стал заниматься бизнесом, каждый день встаю утром и первым делом включаю радио. И слушаю целый день, не случилось ли чего с Мишей. Когда Ельцин был президентом, кажется, не так страшно было. А когда Путин пришел, опять стало страшно, потому что люди из КГБ не изменились точно. Мы, люди старшего поколения, знаем: они не меняются.

В гостиной лицейского офисного домика на телевизоре стоят две фотографии: президент Путин и президент Путин, пожимающий руку Михаилу Ходорковскому. Такая страна: мы все еще в кольце врагов, сегодня ты друг власти и на тебя вся надежда, завтра ты уже враг и сидишь в тюрьме, и даже не успел заметить, когда стал врагом. Я спрашиваю:

— Марина Филипповна, если Путин такой страшный, то что ж у вас на телевизоре стоят его фотографии?

Марина Филипповна отвечает:

— Для смеха.

ГЛАВА 3

ОТРАВЛЕННЫЕ

«Теперь нам придется проанализировать наши трагические ошибки и признать вину», — пишет Михаил Ходорковский в первом своем открытом письме из тюрьмы «Матросская Тишина» весной 2004 года. Письмо называется «Кризис либерализма в России». Написано оно в связи с катастрофическим поражением либеральных партий «Яблоко» и «Союз правых сил» на выборах в Думу 2003 года и либерального кандидата Ирины Хакамады — на президентских выборах 2004-го. Фраза «проанализировать трагические ошибки и признать вину» относится к девяностым годам, когда либералы были у власти.

На самом деле, правда, либералы никогда не были в России у власти. Все девяностые годы большинство в парламенте составляли коммунисты. Правительство же либеральный политик Егор Гайдар возглавлял всего один год — тот год, когда страна чудом избежала голода и гражданской войны. Тот год, когда мой отец затемно еще занимал очередь в магазин, чтоб, простояв полсуток, купить двести граммов масла на нашу семью из пятерых человек, а я по ночам разгружал фуры с детским питанием, поскольку детского питания в магазинах было так мало, что доставалось оно лишь тем, кто разгружал фуры. Я хорошо помню тот год, и помню, что преодолением голода мы обязаны Егору Гайдару.

В остальные же годы (кроме коротких периодов председательства Кириенко и Примакова) правительство возглавляемо было Виктором Черномырдиным (нашли либерала!), и населено было либералами лишь наполовину, а вторую половину составляли не либералы вовсе типа Сосковца и Заверюхи, про которых тогдашний вице-премьер Борис Немцов шутит, что у либералов и фамилий-то таких не бывает.

Надо признать, однако, что либералы действительно были сильны в девяностые годы. Анатолий Чубайс был то главой президентской администрации, то вице-премьером правительства. Борис Немцов — то вице-премьером и преемником Ельцина (с 60-процентным рейтингом), то главой парламентской фракции. Григорий Явлинский бессменно возглавлял влиятельную парламентскую фракцию, и однажды чуть было не стал премьер-министром. Разумеется, либералы ответственны за многое, происшедшее в девяностые годы, но не за все, далеко не за все.

Михаил Ходорковский пишет... Если, конечно, это пишет он: как только «Кризис либерализма в России» был опубликован газетой «Ведомости», многие весьма осведомленные люди стали сомневаться в его авторстве. Говорили, будто за две недели до появления «Кризиса...» в печати, текст этой статьи висел уже в интернете. Говорили, будто текст принадлежит перу политтехнолога Белковского, который сначала затеял травлю миллиардера, опубликовав в 2003 году доклад, что олигархи, дескать, рвутся к власти, а потом в 2004 году сразу же почти после публикации «Кризиса...» выступил в тех же «Ведомостях» со статьей «Одиночество Ходорковского», отмечая, что образ «раскаявшегося олигарха» Ходорковского выгоден президенту Путину, и покаяние должно быть принято президентом. Много чего говорили.

Я не очень верю, что статью «Кризис либерализма в России» за Ходорковского написал Белковский. Соображения у меня стилистические. В письме, полученном мною из «Матросской Тишины», часто употребляются бессмысленные лишние тире. Любовь к тире свойственна людям образованным (считают важным писать правильно), но не гуманитарным: когда они не знают, какой следует поставить знак препинания, ставят на всякий случай тире. Политтехнолог Белковский тоже любит тире, но никогда не ставит лишних. А в письме, полученном мною, и в письме «Кризис либерализма...», и в письме «Левый поворот» лишних тире предостаточно. Я видел несколько писем Ходорковского, адресованных разным людям. Всюду лишние тире, все эти письма писал один человек, и если не Ходорковский, то, стало быть, какой-нибудь политтехнолог ведет за Ходорковского всю его обширную переписку. Не слишком ли сложно?

Впрочем, лидер «Яблока» Григорий Явлинский, прочтя «Кризис либерализма в России», в авторстве сомневаться не стал, но сказал, что нельзя всерьез обсуждать письмо, написанное человеком в российской тюрьме. Несвобода автора сама по себе, если верить Явлинскому, исключает свободное выражение мыслей. А могли ведь и оказывать давление. А может же быть написанное в тюрьме письмо и скрытою просьбой о помиловании, или скудным публичным проявлением тайных переговоров или тайной политической игры, ведущейся Ходорковским или вокруг Ходорковского без ведома читателей газеты «Ведомости».

Так или иначе, Ходорковский пишет:

«Русский либерализм потерпел поражение потому, что пытался игнорировать, во-первых, некоторые важные национально-исторические особенности развития России, во-вторых, жизненно важные интересы подавляющего большинства российского народа. И смертельно боялся говорить правду.

Я не хочу сказать, что Чубайс, Гайдар и их единомышленники ставили перед собой цель обмануть Россию. Многие из либералов первого ельцинского призыва были людьми, искренне убежденными в исторической правоте либерализма, в необходимости „либеральной революции" в усталой стране, практически не знавшей прелестей свободы. Но к этой самой революции либералы, внезапно получившие власть, подошли излишне поверхностно, если не сказать легкомысленно. Они думали об условиях жизни и труда для 10% россиян, готовых к решительным жизненным переменам в условиях отказа от государственного патернализма. А забыли — про 90%. (Вот оно лишнее тире.— В. П.)Трагические же провалы своей политики прикрывали чаще всего обманом.

Они обманули 90% народа, щедро пообещав, что за ваучер можно будет купить две „Волги". Да, предприимчивый финансовый игрок, имеющий доступ к закрытой информации и не лишенный способности эту информацию анализировать, мог сделать из приватизационного чека и десять „Волг". Но обещали-то всем».

Конец цитаты. Если бы только это! Если бы только несправедливой приватизацией отравлены мы были по итогам девяностых годов. Тогда, в начале девяностых я, честно говоря, думал, что священная борьба за свободу сделает нас всех лучше. Но, во-первых, эта борьба не была борьбой за свободу, а во-вторых, она сделала нас чудовищами. Каждый человек, я думаю, совершил в девяностые годы нечто такое, что накануне еще казалось бы ему позором и мерзостью, а теперь вот совершил и живет с этим.

Девяностые годы начинались так. Президент Горбачев, когда случился в Москве августовский путч 1991 года, оказался заперт на своей даче в Форосе (если верить, что его заперли насильно, и он не осведомлен был о заговоре и не был его пассивным участником). Силовые министры, члены Государственного комитета по чрезвычайному положению (ГКЧП) захватили власть, но не смогли ее удержать, и ничего им за это не было, только несколько месяцев тюрьмы. С тех пор в России можно силовикам захватывать власть, и ничего им за это не бывает. Только генерал Пуго сохранил в истории с августовским путчем честь — застрелился, если верить, будто можно сначала застрелиться, а потом аккуратно положить пистолет. Смерть генерала Пуго заставляет думать, что путчисты и впрямь верили, будто своим путчем спасают страну, так понимая ее спасение. Мы же в кольце врагов. И самый искренний из путчистов погиб.

Во время путча в Москву были введены войска. Некоторая часть народа строила баррикады на улицах. По большей же части народ безмолвствовал, и с тех пор в российской политике принято принимать в расчет не народ, а лишь небольшую его часть. Чтобы войти в Москву, войскам надо было нарушить присягу, данную на верность народу. Если бы военные отказались войти в Москву, то не подчинились бы приказу, то есть все равно нарушили бы присягу, в любом случае нарушили бы. Через три дня военные перешли на сторону защитников Белого дома, то есть в три дня нарушили присягу дважды. Чего с тех пор стоит в России военная присяга?

Тогда же, защищая Белый дом, погибли три человека, но защитники Белого дома праздновали победу, а скорбели не очень, надолго положив так, что число жертв среди гражданского населения может быть приемлемым. Вся история России, репрессии, войны, приучила нас к тому, что три человека погибших — это ничего, терпимо. Если бы сейчас в «Норд-осте» и Беслане погибли не сотни человек, а три человека, кто бы говорил про «Норд-ост» и Беслан? Кто сейчас в России остро чувствует, что нетерпима даже гибель одного человека? Разве мы не чудовища?

Сам я в августе 91-го всем сердцем был за свободу, но на всякий случай уехал за город. И как же теперь я могу осуждать людей, которые сочувствуют идеалам, но на всякий случай уезжают?

Одержав победу, защитники Белого дома ненадолго посадили путчистов в тюрьму, но зато закрыли никакого юридического отношения не имевшую к путчу Коммунистическую партию, и не через суд, а властным решением, точно так же, как тринадцать лет спустя, после теракта в Беслане президент Путин отменит выборы никакого отношения к захвату бесланской школы не имеющих губернаторов.

В том же 1991 году никому не известный человек по имени Шамиль Басаев захватил самолет с пассажирами. Угнал в Турцию и такое объявил условие освобождения заложников, чтоб ему созвали пресс-конференцию. Пресс-конференцию созвали, Басаев поговорил о свободолюбивом чеченском народе, отпустил заложников и сдался турецким властям. Турецкие власти передали Басаева российским властям, то есть ФСБ, а те — отпустили его. Во всяком случае, вскоре Басаев командовал в Абхазии отрядом и баллотировался на пост президента Чечни. Или он сбежал из подвалов Лубянки? Или это либералы его отпустили? Или точно так же спецслужбы отпустили его тогда, как и потом много раз отпускали в Дагестане и в Чечне из окружения, в первую и во вторую чеченскую войну?

Потом был еще Пригородный район в Осетии, резня, спровоцированная якобы национальной рознью. Средства массовой информации сообщали, что ингуши, дескать, напали на осетин, и убивали женщин и выжигали им половые органы. И зачем выжигать половые органы понятно: ингуши мусульмане, осетины христиане, мусульманки от христианок половыми органами отличаются разительно — мусульманки их бреют. И если половые органы выжжены, то нельзя узнать досужему телезрителю, кто на самом деле начал резню, мертвую осетинку он видит или мертвую ингушку, нужно расследование, а расследования никто не дождался, все только привыкли к крови.

А в 1993 году по приказу президента Ельцина расстрелян был парламент, тогда же, когда решено было приватизировать госсобственность за ваучеры. И чем же президент Ельцин лучше президента Путина, который парламент всего лишь отстроил так, как ему удобно?

Про мятеж 93-го активный его участник, молодой коммунист, говорил мне, что они, люди, штурмовавшие тогда мэрию и телецентр Останкино, боролись за справедливость и свободу. Мы познакомились в 2004 году в Киеве. Он работал в штабе кандидата в президенты Януковича, и при мне диктовал информационным агентствам для публикации заведомо ложные результаты голосования. Видимо, и его, молодого коммуниста, девяностые годы в России не научили добру.

А в 1994 году, кроме приватизации, началась еще и чеченская война. Война, которая сделает молодого журналиста Мовлади Удугова, молодого поэта Зелимхана Яндарбиева и молодого артиста Ахмеда Закаева — повстанцами, с их точки зрения, и террористами, с точки зрения федеральной власти. Началась война! Люди вышли на улицы протестовать против войны, но вскоре отвлеклись: рекламный экскаваторщик Леня Голубков по телевизору учил обывателя, как надо вкладывать приватизационные ваучеры и чертил в телеэкране маниловские графики своего финансового преуспеяния. Люди носились с ваучерами, как с писаными торбами, и думали, куда бы их лучше вложить: в МММ или в «Хопер-инвест». А когда ваучеры сгорели, куда бы их ни вкладывать, хоть в МММ, хоть в «Хопер-инвест», тот самый народ, который вчера еще ходил на многотысячные антивоенные демонстрации, стал беспокоиться о сгоревших ваучерах больше, чем о сгоревших до состояния угольных чурбачков танкистах в Грозном. Вот какими мы стали чудовищами.

А были же еще бандитские разборки, стрельба на улицах, до сих пор остающаяся обыденным делом на Кавказе. Стреляют не либералы, стреляют военные. А был же еще героин, продаваемый открыто при небескорыстном попустительстве милиции. Где это в милиции вы видели либералов? В начале девяностых годов я зарабатывал распродажей ошметков незавершенного своего образования — преподавал итальянский язык. Лучшими моими ученицами были валютные проститутки: кроме оплаты уроков (с которой я не отчислял, разумеется, никаких налогов) девушки на каждый урок приносили для моего ребенка еще и бесценное лакомство — йогурт.

Моя мама, врач и доктор наук в приватизацию верила, говорила:

— Не все же обманщики. Надо просто подумать, и вложить ваучеры в какое-нибудь серьезное производство. Почему нельзя вложить в газ или в нефть, или в землю?

— Потому что, мамочка,— отвечал я, догадавшись уже, что на всякий случай надо не верить никому и тогда не будешь обманут,— потому что коммунистическая наша Дума запретила приватизировать газ, нефть, или землю. Выставили на приватизацию никому не нужные остановившиеся заводы, и вот думай теперь, который из них оживет. Я отказываюсь думать об этом.

Мама моя, будучи человеком образованным и интеллектуальным, рассудила так, что в МММ и «Хопер-инвест» вкладывать не надо, потому что их слишком много рекламируют, и они поэтому явно обман. И вложила наши ваучеры в компанию «Гермес-финанс», которую рекламировали меньше, что не мешало и ей тоже быть обманом — финансовой пирамидой и тоже вскорости лопнуть.

Как там пишет Ходорковский? «...Обманули 90% народа, щедро пообещав, что за ваучер можно будет купить две „Волги". Предприимчивый финансовый игрок, имеющий доступ к закрытой информации и не лишенный способности эту информацию анализировать, мог сделать из приватизационного чека и десять „Волг"».

Моя мама не была предприимчивым финансовым игроком, не имела доступа к закрытой информации, ее обманули, исходя не из либерального вовсе, а из шулерского представления, что не стыдно обыгрывать человека, плохо знающего правила игры.

Но если бы только это! Наша семья — династия врачей. И обиднее для меня, чем потерять две «Волги», будто бы причитавшиеся мне за ваучер, думать, что мама моя в 1994 году несколько месяцев больше заботилась о цветных этих бумажках, чем о больных людях. Это было унизительно. И я знаю единственного богача и финансиста, который осознал это унижение моей мамы как свою вину. Его зовут Михаил Ходорковский. Он сидит в тюрьме. И если все богатства в России нажиты обманом, то получается, что в тюрьму посадили единственного раскаявшегося обманщика. Нераскаявшиеся — на свободе.

В 1994 году владельцы Банка МЕНАТЕП, разумеется, были уже предприимчивыми финансовыми игроками и имели, разумеется, доступ к закрытой информации.

Про Платона Лебедева, например, финансисты (даже те, которые его ненавидят) говорят, что он финансовый гений. Он учился в Плехановском экономическом институте, он в Советском Союзе занимался экономическим планированием в компании «Зарубежгеология», что, считается, круто. А бывшая его подчиненная Ирина говорит:

— Ну как вам объяснить? Финансы это же наука, верите?

— Верю.

Мы разговариваем, разумеется, в Лондоне. В баре гостиницы на Ноттинг-хилл. Ира, разумеется, не может вернуться в Россию, потому что ее затаскают по допросам.

— Ну, вот когда занимаешься наукой, время от времени заглядываешь же в справочник, чтоб посмотреть какую-нибудь формулу или какой-нибудь закон. А Платон, он чувствовал всегда эти законы, видел, как деньги движутся, как живут. Понятно?

— Понятно. Так бывает с неправильными глаголами. Только школьник их зубрит. На определенном уровне изучения языка начинаешь понимать, почему они так неправильно спрягаются.

— Хорошо, что вы понимаете. Еще Платон Леонидович был невероятно красивым мужчиной. От него исходило невероятное мужское обаяние.

— А говорят, он был груб?

— Это не называется словом «груб». Он иногда кричал. Страшно кричал, так что невозможно было разобрать слова, которые он кричит.

Михаил Ходорковский был еще в 1991 году советником премьер-министра России Ивана Силаева. До 1991 года премьер-министр России был всего лишь главой правительства одной из республик, и ничем толком не руководил. Но когда Советский Союз распался, значение этой должности резко выросло, и советник Ходорковский наверняка, в отличие от моей мамы и 90% населения, имел доступ к закрытой информации, умел ее анализировать и понимал, куда вложить

ваучеры, не только свои собственные, но и выкуплен-
ные у народа, хоть и без принуждения, но никак уж
не по цене двух «Волг».

Ходорковский пишет мне из тюрьмы:

> «...защищать Белый дом я пошел, если еще не осо-
> знанно (просто был советником Силаева и не мог по-
> ступить по-другому), то, во всяком случае, уже в „раз-
> драенных чувствах", а в 1993 году был уже осознан-
> ным сторонником рыночной экономики и демо-
> кратии, хотя, как потом оказалось, еще не пони-
> мал, что это такое и окончательное осознание пришло
> в 1998 году, после дефолта».

В начале девяностых они весьма своеобразно понимали рыночную экономику и демократию, эти молодые
люди, предприимчивые финансисты, имевшие доступ
к закрытой информации. Они даже и человеческую по-
рядочность понимали весьма своеобразно. Из письма
Ходорковского следует, что защищать Белый дом
в 1991 году он пошел не ради убеждений, не ради свободы и демократии, не ради защиты своего бизнеса даже, а из чувства личной преданности Ивану Силаеву. Средневековая какая-то этика: защищать сюзерена
в любом случае, даже если тот не прав, но зато и самому с одобрения сюзерена делать что хочешь, даже если
действия твои незаконны.

Они, например, купили завод «Апатит», долженствовавший выпускать удобрения, но остановившийся
и погрязший в долгах. Купили задешево, но по договору должны были инвестировать в восстановле-
ние завода крупные суммы. Инвестировать не стали,
справедливо рассудив, что руководство завода инвес-
тированные деньги украдет, или что еще обиднее,
просто разбазарит. Им не было жалко денег, я уверен.
Неправильно думать, будто бы хороший бизнесмен
помешан на деньгах. Он помешан на собственной эффективности, во всяком случае, когда в стране мараз-

матический социализм сменяется диким капитализмом. Он уверен, что букву закона или букву договора можно не соблюдать, если это устраняет неэффективность. Заводу «Апатит» менеджеры из МЕНАТЕПа не стали давать денег, они стали им управлять: поставляли горючее, станки, выплачивали зарплату рабочим, оптимизировали налоги, построили даже троллейбусную линию от города к проходной — но денег не дали. А когда государство стало судиться с МЕНАТЕПом, что, дескать, условия приватизации не соблюдены, государство получило отступные, и заключено было с государством мировое соглашение в суде. Завод заработал. Чего ж вы еще хотите? Неужели не понятно, что соблюдать договор неэффективно, а эффективно заключить договор, нарушить договор, а потом переписать договор? Тем более, если сюзерен согласен, и ты верный слуга.

Средневековая какая-то этика. Эффективно к неуклюжей стране и населяющим ее некомпетентным людям относиться как к детям — обманывать их, а потом говорить, что обман был для их же блага. Так, похоже, считали в начале девяностых годов либералы включая Ходорковского. Так, похоже, и до сих пор считают власть имущие, ради нашего же блага обманывающие нас про мир в Чечне, про выгоды монетизации льгот и про удвоение валового внутреннего продукта.

История с заводом «Апатит» станет на процессе Ходорковского и Лебедева одним из пунктов обвинения. За истечением срока давности суд не сможет признать Ходорковского и Лебедева виновными по делу «Апатита», но особо подчеркнет в приговоре, что приватизация завода, дескать, все же произведена была незаконно. При этом новые владельцы заработавшего завода не станут отказываться от его прибылей, а государство не станет отказываться от налогов, уплачиваемых заводом, восстановленным незаконно. И никто не станет разбираться, ожил бы завод «Апатит», если бы Банк МЕНАТЕП инвестировал в него денег, сколько положено было по договору, или так бы и стоял до сих пор в руинах. Никто не станет разбираться, возможно ли было заводу «Апатит» сполна платить в девяностые годы налоги, равнявшиеся тогда стараниями коммунистического нашего парламента 102% оборота. Никто не станет думать, что стало бы, если бы завод не был приватизирован единственно возможным тогда незаконным способом.

К середине девяностых годов предприимчивые финансисты, имевшие доступ к закрытой информации довели свою локальную эффективность до совершенства. Они научились жить в стране, в которой не умело жить подавляющее большинство населения. Теперь уже, когда поступки Михаила Ходорковского времен приватизации принято считать преступлениями, а об аналогичных поступках всех остальных думать не приказано, театральный режиссер Светлана Врагова в телевизионной программе Андрея Караулова «Момент истины» впервые рассказывает, как Банк МЕНАТЕП отобрал у нее квартиру. Она говорит, что ей не повезло жить от Банка МЕНАТЕП в непосредственной близости в прекрасном старом доме. И Банк МЕНАТЕП решил расселить ее дом, купив каждому жильцу квартиры в других районах, а дом забрать себе. Светлана Врагова говорит, что из всего ее подъезда выселяться в другую квартиру отказались только она и сосед ее сверху. Сосед вскоре был убит (Светлана Врагова не утверждает, что убийцы имели отношение к МЕНАТЕПу). А она сама однажды вернулась домой с дачи и застала свою квартиру разоренной. Мебель и библиотеку куда-то вынесли, стены сломали. У дверей стояли охранники Банка МЕНАТЕП, милиция только смеялась, когда Светлана Врагова требовала принять у нее заявление, что квартира разорена. Если верить этому рассказу госпожи Враговой (а я верю), то наверняка у Банка МЕНАТЕП выселение жильцов было как-нибудь законно оформлено. Эффективнее было госпоже Враговой выехать в другую квартиру, пока просили добром. Неэффективно было упираться и хотеть жить в квартире, где прожила пятнадцать лет. Не стоило вообще иметь человеческие чувства — они не эффективны. Однако же госпожа Врагова говорит, что, оставшись бездомной, стала звонить своим высокопоставленным друзьям-чиновникам. Вот это было уже по-настоящему эффективно: кто-то из высокопоставленных друзей госпожи Враговой позвонил кому-то из начальников МЕНАТЕПа, и МЕНАТЕП купил госпоже Враговой хорошую, по ее выбору и в удобном для нее районе, квартиру взамен захваченной.

Госпожа Врагова рассказывает, что через несколько лет встретилась случайно с Михаилом Ходорковским на приеме в Кремле. И Ходорковский извинился. Он, вроде бы сказал:

— Простите, я не знал, что это были вы.

И если он действительно так сказал, то слова его значили: «простите, я не знал, что выселяю из дому сильного и эффективного человека, одного из нас, избранных». И если он действительно так сказал, то, стало быть, все еще не понимал, что человека нельзя выселять из дому, не потому что он сильный, эффективный или избранный, а потому что он человек.

В этой истории я всем сердцем сочувствовал бы Светлане Враговой, если бы не два обстоятельства. Во-первых, ничего с тех пор не изменилось: сейчас начнется коммунальная реформа, тысячи людей будут выселены из домов, где прожили жизнь, и Светлана Врагова, вероятно, не станет звонить за всех этих бездомных своим высокопоставленным друзьям, как не звонит уже теперь за бездомных беженцев и бездомных офицеров, потому что не слуга ведь она беженцам и бездомным. Во-вторых, Светлана Врагова подписала открытое инспирированное Кремлем письмо, одобряющее арест Ходорковского. Зачем? Поступила на службу к государю? Средневековая этика? Ходорковский уже осужден, он уже в тюрьме, зачем пинать поверженного? Хорошо ли русскому интеллигенту восславлять тюрьму и суровость суда, если на памятнике Пушкину написано: «восславил свободу», «милость к падшим призывал»?

К середине девяностых предприимчивым финансистам удалось разобраться и с приватизацией той собственности, которую коммунистическая Дума ревностно, но бездарно от приватизации оберегала — с нефтью, с металлами, с землей.

Либеральный политик Немцов убеждал красный парламент, что нельзя же устраивать приватизацию наполовину и даже удачно шутил про коммунистов: «Они говорят, что земля — это мать, ее продавать нельзя. А в аренду сдавать можно?» Крупнейшие нефтяные и металлургические предприятия страны не приносили прибыли. Предприимчивым финансистам больно было на это смотреть, понимая, сколько пропадает денег. Но увещевания и шутки Немцова не помогали выставить нефтяную и металлургическую отрасли на продажу.

Помогла блестящая, хоть и донельзя циничная идея предприимчивого финансиста Владимира Потанина, главы ОНЭКСИМ банка. Говорят, это именно он придумал залоговые аукционы. Государство не могло продать нефтяные компании и металлургические заводы частным лицам ни за ваучеры, ни за деньги. Но закон не запрещал государству попросить у частных банков денег взаймы под залог нефтяных компаний и металлургических заводов. А потом, когда оно, государство, не в состоянии будет вернуть долг, отдать, соответственно, заложенные нефтяные компании и металлургические заводы.

Идея была блестящей. Президенту Ельцину не хватало только повода, чтоб отважиться на воплощение такой отчаянной схемы приватизации предприятий, которые парламент запретил приватизировать. И повод нашелся. В 1995 году коммунисты триумфально выиграли парламентские выборы, а либералы позорно их проиграли.

Михаил Ходорковский пишет в статье «Левый поворот», («Ведомости» от 01.08.2005, привожу с сокращениями):

«...Я хорошо помню мрачноватый январь 1996-го. Тогда большинству либералов и демократов (а я, конечно же, не слишком вдумываясь в трактовку слов, относил себя и к тем и к другим) было трудно и тоскливо на душе от безоговорочной победы КПРФ на думских выборах — 1995. Но еще больше — от готовности многих и многих представителей ельцинского истеблишмента выстроиться в очередь к Геннадию Зюганову и, не снимая правильной холопской улыбки, получить прощение за все прежнее свободолюбивое буйство...

...В ту пору у меня и моих единомышленников не было ни малейшего сомнения, что Зюганов выиграет предстоящие президентские выборы. И вовсе не потому, что Ельцин, как тогда казалось, то ли тяжко болеет, то ли сурово пьет, то ли попросту утратил интерес к продолжению своей власти...

...К середине девяностых стало ясно, что чудо демократии как-то не задалось. Что свобода не приносит счастья. Что мы просто не можем быть честными, умеренными и аккуратными по буржуазному...

...И потому я в числе еще 13 крупных (по тем временам) бизнесменов подписал в марте 1996 года почти забытое сейчас обращение „Выйти из тупика!" Идея письма была проста... Президентом России должен оставаться Борис Ельцин — как гарант гражданских свобод и человеческих прав. Но премьер-министром, причем, несомненно, с расширенными полномочиями, должен стать глава КПРФ... Нужен левый поворот, чтобы примирить свободу и справедливость, немногих выигравших и многих, ощущающих себя проигравшими от всеобщей либерализации.

Компромиссный (и исторически оправданный) тандем Ельцин—Зюганов, как всем известно, не состоялся. Почему — лучше знают те, кто в отличие от меня был вхож в Кремль. Может быть, виноваты ближайшие ельцинские соратники, которые не хотели ничем делиться, пусть даже и ради предотвращения затяжной нестабильности. А может — Геннадий Зюганов, который то ли не хотел договариваться, будучи на 100% уверен в собственной победе, то ли… просто не хотел власти в России, прозорливо боялся этого страшного бремени».

Конец цитаты. У меня несколько другие сведения. Полагаю, Михаил Ходорковский, хоть и считал себя либералом и демократом, не видел катастрофы в приходе коммунистов к власти: они были старые его знакомые, бывшее райкомовское начальство. Конечно, Ходорковский хотел бы продолжения либеральных реформ, связанных с именем Ельцина, но не имел ресурсов остановить Зюганова. А какой же толковый бизнесмен станет ввязываться в драку, не имея ресурсов. Вот и подписал письмо «Выход из тупика», предлагая Ельцину и Зюганову договориться. Возможно, это было очень мудрое письмо. Не знаю, было ли оно реалистичным. Подписав его, Ходорковский поехал на международный экономический форум в Давос.

Там в Давосе на одном из банкетов столик Михаила Ходорковского оказался рядом со столиком, за которым сидели бизнесмен Борис Березовский и финансист Джордж Сорос. Сорос вспоминает, что спрашивал тогда Березовского, понимает ли тот, что, придя к власти, коммунисты в считанные дни растопчут либеральную экономику, демократию, свободу слова и самого Березовского. (К слову сказать, может, и не растоптали бы, у коммунистов ведь тоже не было ресурсов, чтоб кого-нибудь растаптывать.) Березовский вроде понимал, но не видел ресурсов для противостояния. Ходорковский, не знаю, участвовал ли в разговоре или просто слушал. Знаю только, что чуть ли не в тот же вечер Борис Березовский, богач, по тогдашним меркам, и владелец «Первого канала» телевидения пришел к врагу своему, тоже богачу, по тогдашним меркам, и владельцу телеканала НТВ Владимиру Гусинскому. Для красочности рассказа хотелось бы, конечно, чтоб Березовский пришел прямо с банкета в помятом смокинге и с бутылкой коньяка в руке, а Гусинский чтоб встретил его в халате и шапочке для душа, но не знаю, как было дело. Знаю только, что медиамагнаты и вчерашние враги договорились: победа коммунистов на президентских выборах — это не дай бог, и надо поддержать президента Ельцина. Знаю также, что к их договору присоединились постепенно и другие крупные российские бизнесмены, включая Михаила Ходорковского. Это была отчаянно-рискованная игра. Рейтинг популярности Ельцина был 4%, а рейтинг популярности Зюганова — 35%. Но предприимчивым финансистам девяностых не привыкать было к отчаянно-рискованным играм. Тем более что в обмен на поддержку ельцинский Кремль обещал самое заветное — приватизацию нефтяных скважин и металлургических заводов.

В статье «Кризис либерализма...» Михаил Ходорковский пишет:

«Мне ли, одному из крупных спонсоров президентской кампании 1996 года, не помнить, какие поистине чудовищные усилия потребовались, чтобы заставить российский народ „выбрать сердцем"?!»

Я тоже помню. «Выбирай сердцем» — это был главный лозунг ельцинской кампании. Лучшие журналисты, совсем недавно получившие свободу слова и прямой эфир, искренне — я уверен — искренне полагали, что надобно не пустить во власть Геннадия Зюганова, потому что придет и отберет и прямой эфир, и свободу слова. Лучшие журналисты думали, будто спасают свою профессию и свою страну, а на самом деле губили и то, и другое.

Мой приятель талантливый журналист Евгений Ревенко был приставлен к Геннадию Зюганову постоянным от телеканала НТВ корреспондентом. Задача была не освещать предвыборную кампанию Геннадия Зюганова, а «мочить» Геннадия Зюганова, то есть показывать его смешным, глупым, бессмысленным. Не пытаться выяснять, как именно Геннадий Зюганов собирается воплотить в жизнь всю ту популистскую абракадабру, которая рассказывалась избирателям, а доводить абракадабру до абсурда. Не заставлять зрителя думать, а заставлять верить, «голосовать сердцем».

Другой мой приятель, талантливый, очень талантливый журналист Сергей Мостовщиков придумал целый жанр — забавно пересказывать поступки политика, каковые поступки, надо отдать должное политикам, действительно неуклюжие. Я помню гомерически смешную заметку Мостовщикова про то, как Геннадий Зюганов прикладывался к раке в церкви. До сих пор эта работа считается у нас политической журналистикой, и никто будто бы не замечает, что эта работа варварская и средневековая — так посылали лазутчика отравить князя.

С другой стороны Анатолий Чубайс, ставший главой ельцинского избирательного штаба, каждый день придумывал события с участием президента. В средневековье эта работа называлась «сенешаль», распорядитель праздников. Средствам массовой информации вменялось в обязанность показывать, как президент танцует, как подписывает на крыле самолета неожиданно ставший возможным мирный договор с Чечней, как встречается с рабочими, с крестьянами — показывать во что бы то ни стало, даже если редакция и понимает всю необязательность и фарсовость очередного события. С тех пор и доныне средства массовой информации у нас обязаны освещать любое придуманное в Кремле даже бессмысленное событие с участием президента.

Я тогда был начинающим журналистом, но успел написать две заметки против Зюганова в пропагандистской газете «Не дай Бог», выходившей тиражом четыре миллиона экземпляров и распространявшейся бесплатно. И отравлен навсегда. Что бы я теперь ни делал, слова мои с тех пор — не журналистика, а пропаганда. И если вы не верите тому, что я сейчас рассказываю, то именно поэтому. Вы не верите, что эту книгу не заказал мне Михаил Ходорковский. Я могу поклясться, он мне ее не заказывал. И ни один политик, ни один олигарх не заказывал мне эту книгу. Но после избирательной кампании 1996 года вы имеете право мне не верить.

Михаил Ходорковский пишет в статье «Левый поворот»:

«Тогда журналисты стали превращаться из архитекторов общественного мнения в обслугу хозяев, а независимые общественные институты — в рупоры спонсоров».

Он пишет правду. Стоило ради этого попасть в тюрьму.

Ельцин стал президентом. Михаил Ходорковский на залоговом аукционе получил нефтяную компанию ЮКОС. Все остальные предприимчивые финансисты, поддержавшие Ельцина, тоже что-нибудь получили. Для выкупа своих новых компаний предприимчивые финансисты брали кредиты у государства, поэтому принято считать, что олигархов тогда назначили в Кремле. Но не это было главным грехом залоговых аукционов. Главный трюк залоговых аукционов заключался в другом: будущие олигархи заранее договаривались друг с другом, кто какую компанию получит, и не конкурировали, сбивали цену.

Кроме случая с ЮКОСом. Тут почему-то не договорились, и на компанию ЮКОС всерьез претендовали Инкомбанк и Банк МЕНАТЕП. Это был закрытый аукцион, то есть свое коммерческое предложение банки должны были запечатать в конверт, а на аукционе конверты вскрывали, и компанию получал тот, чье предложение окажется больше. Говорят, будто из Инкомбанка звонили девушке-клерку, готовившей предложение Банка МЕНАТЕП, и сулили 100 тысяч долларов, если девушка раскроет предлагаемую МЕНАТЕПом сумму. Говорят, девушка эта пожаловалась совладельцу МЕНАТЕПа Владимиру Дубову, и Дубов посулил 50 тысяч долларов, чтобы, сообщая конкуренту сумму, девушка-клерк сократила один ноль.

Может быть, это легенда, но говорят еще, будто когда владелец МЕНАТЕПа Ходорковский выиграл на аукционе, владелец Инкомбанка Виноградов швырнул в стену стакан.

Теперь, десять лет спустя, в рамках информационной поддержки приговора Ходорковскому, телекомпания НТВ сообщила, будто ЮКОС стоил 15 миллиардов долларов, а приобретен был Ходорковским на залоговом аукционе за 159 миллионов. Это неправда. На залоговом аукционе МЕНАТЕП Ходорковского приобрел 45% компании ЮКОС за 250 миллионов долларов. Плюс к тому признал и выплатил 3,5 миллиарда долгов компании ЮКОС. То есть фактически купил меньше половины компании почти за 4 миллиарда. Ни одна мировая нефтяная компания не выражала тогда готовности купить ЮКОС. В следующей главе мы разберем и другие причины думать, что даже на самом честном и самом открытом аукционе не стоила бы тогда компания ЮКОС никаких 15 миллиардов. Но дело не в этом. Аукцион был законным в условиях тогдашнего беззакония, но несправедливым по сути. Получить компанию можно было только при условии личной верности государю, а доказать верность надо было, профинансировав нечестные выборы. В одном из своих интервью Ходорковский признал, что его бизнес в девяностые был несправедливым и аморальным, но, подчеркнул Ходорковский, законным. Слишком многих законов тогда в России просто не хватало. Сомнительная сделка считалась законной, если была заключена с одобрения власти, и незаконной, если была заключена власти вопреки.

Думаете, что-нибудь изменилось? А я думаю, нет. Ходорковский сидит в тюрьме, может быть, потому, что на этот раз нынешнему президенту Путину не сумел доказать личной преданности, как умел доказывать в 1991 году премьер-министру Силаеву и в 1996-м — президенту Ельцину. Суд, средства массовой информации и общественное мнение, как были послушны власти всегда, так и остаются послушны. В девяностые годы они не стали, как принято думать, свободнее, они, наоборот, были дополнительно отравлены ядом обмана.

И Ходорковский — один из тех, кто готовил зелье.

ГЛАВА 4

МАНИЯ ЭФФЕКТИВНОСТИ

— Михаил Борисыч! Тут такое! Мозгов полстакана натекло! — орала телефонная трубка.

Было раннее утро 26 июня 1998 года. У Михаила Ходорковского 26 июня день рождения. В 1998 году ему исполнялось 35 лет.

— О, я хорошо помню этот день,— говорит мне Инна Ходорковская за столиком «Book-кафе». Она отхлебывает чай и морщится, от того ли, что чай слишком горячий, или от того, что воспоминания слишком неприятны.— Мы с Настей (со старшей дочерью Настей, мальчишек-близнецов тогда еще не было) встали пораньше утром, готовились вручить подарок, как только папа выйдет из комнаты.

— Какой был подарок? — спрашиваю.

Инна не помнит. Она говорит, что мужу всегда трудно было подарить подарок на день рождения, потому что ему не нравились никакие вещи. Он был равнодушен к вещам. Интересовался только электронными придумками всякими, которые можно присобачить к компьютеру, но Инна тогда не разбиралась в электронных придумках и разбираться стала только сейчас, когда муж в тюрьме, и надо занимать чем-нибудь головоломным голову, чтоб не сойти с ума.

Михаил Ходорковский, похоже, действительно всегда был равнодушен к вещам. Во всяком случае, юкосовские сотрудники рассказывают, что несколько раз руководители среднего звена пытались ввести дресс-код для служащих, обязав каждого приходить на работу в пиджаке и галстуке, но всякий раз попытки эти так и оставались благими намерениями, поскольку каков поп, таков и приход, а глава компании Михаил Ходорковский расхаживал по коридорам ЮКОСа в джинсах и свитере, и говорил, что пиджак и галстук для нефтяника непрактичны, поскольку не попрешься же в пиджаке и галстуке на буровую.

Про равнодушие Ходорковского к вещам рассказывают еще такую байку, что, дескать, уже в двухтысячные годы надо было Ходорковскому пойти на прием к английской королеве Елизавете, и для этого надо было надеть фрак. Похоже было немножко на маскарад.

— Без фрака никак нельзя? — спрашивал Ходорковский подвернувшегося под руку специалиста по этикету.

— Никак нельзя, Михаил Борисович.

Смирившись с дворцовым этикетом, Ходорковский фрак купил, пошел на прием во фраке, а вернувшись в гостиницу, с облегчением снял фрак и запихал в корзину для мусора, мотивируя свое поведение тем, что все равно никогда в жизни больше не понадобится такая неудобная вещь. И уехал в Москву. А через неделю любовно извлеченный гостиничной прислугой из мусорной корзины, вычищенный и отутюженный фрак доставлен был из Лондона Михаилу Ходорковскому домой ценной бандеролью. В следующую свою поездку в Лондон Ходорковский нарочно уже взял фрак с собою, остановился в том же отеле и нарочно опять запихал фрак в мусорную корзину. А горничная опять фрак из мусорной корзины достала, потому что хорошая же и дорогая вещь, и опять фрак, вычищенный и отутюженный, вернулся бандеролью по месту прописки незадачливого своего хозяина, не понимающего, что фраки, уезжая, следует класть в чемодан, а не в корзину для бумаг. Не знаю уж, как сложилась дальнейшая судьба этого злополучного фрака.

— Даже к автомобилям он равнодушен? — спрашиваю я Инну с недоверием, поскольку знаю всего одного на Земле человека, равнодушного к автомобилям, и этот человек я.

— Абсолютно равнодушен,— Инна пожимает плечами.— Я неравнодушна, а он каждые выходные даже через силу заставлял себя садиться за руль, чтоб не разучиться водить. Потому что надо уметь водить. Не знаю, зачем ему это надо.

— А как же друзья мне рассказывали, будто Ходорковский гонял на желтой «Ламборгини» по Николиной Горе, цепляя днищем колдобины?

— Глупости, не было у нас никогда никакой «Ламборгини». «Жигули» были, ужасная машина, на ней однажды отказали тормоза и мы вылетели в сугроб, хорошо, что там был сугроб. Потом еще у нас «Вольво» была, а потом были БМВ, и последняя БМВ бронированная — это совсем кошмар, потому что тяжеленная, и они однажды ехали на ней, опаздывали на пресс-конференцию какую-то, а шел дождь, и машина провалилась в яму, заполненную водой. Двери заклинило, машину затопило по самые стекла, они промокли там по пояс, пока вылезали, но на пресс-конференцию все же успели, а машину потом трактором вытаскивали. И ведь не продашь никому.

Инна улыбается уголками губ и замолкает. Это, видимо, слишком будничные и слишком счастливые для жены узника воспоминания:

— Он только записные книжки любит и авторучки. Вот это он любит.

И, предположим, 26 июня 1998 года рано утром Инна и Настя заворачивали в красивую оберточную бумагу и перевязывали красивыми ленточками прекрасную записную книжку и прекрасную авторучку, благо записных книжек и авторучек человеку можно дарить сколько угодно. Михаил Ходорковский тем временем и не думал выходить к жене и дочери принимать поздравления и подарки, а расхаживал по своему кабинету, прижимая к уху телефонную трубку. Трубка орала:

— Михаил Борисыч! Тут такое! — звонил вице-президент ЮКОСа Леонид Симановский.

— Леонид Яковлевич, ты подожди, ты не кричи, ты объясни, что случилось.

— Тут такое!

Леонид Симановский звонил сказать, что в Нефтеюганске убит несколькими выстрелами из автоматического пистолета мэр города Владимир Петухов. Девяностотысячный город вышел на улицы, люди требуют расследования, но, не дожидаясь расследования, заранее были уверены, что Петухова убил ЮКОС, и блокируют офис ЮКОСа, и требуют лишить лицензии местную телекомпанию «Интелком», которую Ходорковский даже еще не купил к тому времени, а только собирался купить. В городе форменный бунт.

Ходорковский оделся и вышел из комнаты. Коротко сказал что-то невразумительное жене и дочке, сел в машину и уехал, не приняв поздравлений с днем рождения. Инна и Настя так и остались стоять с подарками, у одной в руках была, предположим, записная книжка, у другой — авторучка.

Инна говорит:

— Я не поняла, что случилось. Поняла только, что произошло какое-то несчастье с каким-то человеком. Потому что если у Миши были проблемы с компанией, он никогда не показывал нам, что у него проблемы. Дома Мишины проблемы заметны были, только если что-нибудь случалось с людьми.

Сейчас, когда Ходорковский уже осужден, и Лебедев осужден, и начальник отдела внутренней безопасности, заместитель начальника службы безопасности ЮКОСа Алексей Пичугин осужден за убийства, а эмигрировавшему в Израиль партнеру Ходорковского Леониду Невзлину вменяется в вину, что Невзлин, дескать, заказчик убийств, заместитель генерального прокурора Колесников делает страшное лицо и предъявляет Пичугину и Невзлину новое обвинение — и в убийстве нефтеюганского мэра Петухова тоже. И выражает надежду, что теперь-то уж Израиль Невзлина выдаст, но Израиль не выдает, и даже Соединенные Штаты Америки дают Невзлину визу, и когда Невзлин приезжает в Америку, тамошние власти не арестовывают его и не выдают России, и от этого замгенпрокурора Колесников делает еще более страшное лицо, и кричит почти: «Преступник! Убийца!», забывая, что назвать человека преступником может только суд.

Логика замгенпрокурора понятна: Владимир Петухов стал мэром Нефтеюганска при поддержке ЮКОСа, и поначалу отношения мэра с градообразующей компанией ЮКОС складывались вроде неплохо, но в мае

1998-го мэр стал вдруг утверждать, что ЮКОС не доплачивает налогов в городской бюджет. А 15 июня мэр Нефтеюганска Петухов объявил даже голодовку, требуя отменить результаты аукциона по продаже нефтяной компании ЮКОС Банку МЕНАТЕП, отстранить от занимаемых должностей руководителей налоговых инспекций города и округа, возбудить уголовные дела по факту неуплаты налогов нефтяной компанией ЮКОС — одним словом, поссорился с ЮКОСом мэр Петухов. А 22 июня после беседы с главой Ханты-мансийского автономного округа Филипенко мэр голодовку прекратил. А 26 июня был убит по пути на работу выстрелами из автоматического оружия.

Заместителю генерального прокурора Колесникову очевидно, что мэр Нефтеюганска Петухов мешал компании ЮКОС уклоняться от уплаты налогов и за это был убит Алексеем Пичугиным по приказу Леонида Невзлина, как были убиты и другие люди, в гибели которых — доказано уже судом — виноваты Пичугин и Невзлин. Ясно же, как белый день, все заместителю генерального прокурора Колесникову.

Но нам неясно. А можно нам услышать другую версию? Версию защиты можно нам услышать? Нельзя? Почему? Почему-то процесс по делу Пичугина был закрытым, не знаю уж, какие такие государственные тайны могут всплыть, если расследуешь дело об убийстве. Вероятно, процесс, на котором Пичугина и Невзлина будут обвинять в убийстве нефтеюганского мэра Петухова, тоже будет закрытым, и мы опять не узнаем никакой другой версии, отличной от версии обвинения. А другая версия есть.

Возможно ведь, что мэр Нефтеюганска Петухов налоги от ЮКОСа в городской бюджет получал, но полученные деньги не выплачивал врачам и учителям в качестве зарплаты, а заказывал на них дружественным строительным компаниям разные в Нефтеюганске строительства, обещая и дальше финансировать стройки эти из городского бюджета.

Мы можем так предположить потому, что 28 мая 1998 года компания ЮКОС выделила 25 миллионов рублей, чтоб заплатить в Нефтеюганске зарплату бюджетникам. Деньги эти, правда, не перевели на счета городской администрации, а привезли из Москвы самолетом и непосредственно распределили по бюджетным предприятиям, чтоб те выплачивали сотрудникам зарплату. Третьего июня в Нефтеюганск прилетел президент нефтяной компании ЮКОС Михаил Ходорковский и сказал:

— У администрации города было достаточно денег, чтобы полностью и в срок выдать зарплату бюджетной сфере. Общая сумма задолженности по зарплате составляла 18 миллионов рублей, а за пять месяцев компания перечислила в городской бюджет более 120 миллионов рублей. У администрации города смещены приоритеты, она задерживает зарплату, но финансирует подготовку к зиме, авиакомпанию, асфальтобетонный завод — объекты необходимые, но не идущие ни в какое сравнение с текущей зарплатой, да еще накануне отпусков. Поэтому мы настаиваем на перечислении денег в бюджетные организации минуя администрацию города.

Тогда в Нефтеюганске, как и прежде в случае с заводом «Апатит», как и потом много раз, Ходорковский, похоже, был уверен, что если государственные чиновники неэффективно расходуют уплаченные ЮКОСом налоги, то можно налоги платить не через государство, а распределять самому между предприятиями бюджетной сферы. Иными словами, Ходорковский игнорировал бюджетную и региональную политику, подменял государство собой на том основании, что государство коррумпировано, а он, Ходорковский, эффективнее государства.

Раздав деньги бюджетникам, компания ЮКОС обратилась в Генеральную прокуратуру с просьбой проверить, как используются в Нефтеюганске мэром Петуховым бюджетные средства, но это только потом, уже после того, как Ходорковский прилетел на самолете из Москвы и на несколько часов фактически сместил мэра города и занял его место.

Можем ли мы предположить, что мэр Нефтеюганска Петухов наобещал дружественным строительным компаниям финансировать из бюджета строительство асфальтобетонного завода, например, и компании начали уже строить. Но тут в бюджете закончились деньги, поскольку Ходорковский перестал их в этот самый бюджет переводить, а принялся самолично выплачивать зарплаты учителям и врачам, зачитывая выплаченные им напрямую зарплаты в счет непереведенных налогов? Можем ли мы предположить, что дружественные строительные компании настойчиво требовали у мэра денег, которые тот обещал, но денег в бюджете не было, поскольку Ходорковский напрямую роздал их бюджетникам? Можем ли мы предположить, что мэру так нужны были эти деньги, что решился даже мэр на голодовку? И можем ли мы предположить, что дружественные мэру строительные компании боялись инициированной ЮКОСом прокурорской проверки? И кто же тогда убил мэра Нефтеюганска Петухова?

Есть и еще одна версия. Марина Филипповна Ходорковская, прогуливаясь со мною по территории лицея-интерната «Коралово», говорит:

— Я так боялась всегда, когда Миша ездил в Нефтеюганск. Он ведь выдавливал оттуда чеченских бандитов. А это ведь страшно — выдавливать чеченских бандитов.

Давайте только без национализма. Давайте скажем так: когда Ходорковский получил ЮКОС, добрая половина нефти добываемой в Нефтеюганске, попадала-таки в руки бандитов, какой бы те ни были национальности, и продавалась нелегально. Сейчас уже, когда началась в прессе пиаровская кампания против Ходорковского, журналист Марк Дейч опубликовал статью-расследование, где убедительно показывал, как юганская нефть присваивалась неким Хожахмедом Нухаевым по кличке Хожа. И в фильме НТВ «Теракт с предоплатой» рассказывается, как украденная эта нефть шла на финансирование чеченского сопротивления. И журналист Марк Дейч в фильме «Теракт с предоплатой» только один раз оговаривается, как бы походя, что преступная схема действовала, когда ЮКОС не был еще частной компанией...

Подождите! Перевожу! Журналист Марк Дейч, расследовавший, как юганская нефть нелегально продавалась через Хожахмеда Нухаева, и как вырученные деньги шли на финансирование терроризма, утверждает в фильме «Теракт с предоплатой», что преступная схема действовала, когда компания ЮКОС еще не была частной. Понимаете? То есть, когда компания ЮКОС не принадлежала еще Михаилу Ходорковскому. То есть до 1995 года. То есть Ходорковский эту преступную схему, наоборот, остановил, выдавив бандитов из своего бизнеса. Выражайтесь внятно, Марк Дейч.

Теперь можем ли мы предположить, что мэр Нефтеюганска Петухов, видя, как Ходорковский выдавливает бандитов из бизнеса, решил заодно выдавить их и из города? Можем. Потому что мэр Петухов закрыл в Нефтеюганске старый рынок, который, говорят, «крышевала» бандитская группировка из Чечни. А новый нефтеюганский рынок принадлежал жене мэра Петухова.

Так кто убил мэра?

Возможно, приведенные нами версии про дружественные строительные компании и про неких бандитов проверены были заместителем генерального прокурора Колесниковым. Возможно, были у замгенпрокурора серьезные причины версии эти отвергнуть, но мы не знаем этих причин. Возможно, есть у прокуратуры серьезные основания думать, будто Петухов погиб не потому, что Ходорковский направил денежные потоки в обход мэра, а что заказал-таки Петухова Невзлин и убил-таки Пичугин, и Ходорковский все знал, и согласился, несмотря на то, что убийство это породило на его предприятиях бунт, но мы не знаем оснований, на которых прокуратура таким образом думает. Мы, по сути, ничего не знаем. Процесс-то закрытый.

Когда Михаил Ходорковский стал владельцем компании ЮКОС, это поначалу не значило вовсе, что компания ему действительно принадлежит, подчиняется ему или хотя бы приносит ему деньги. Компания была убыточной, себестоимость добываемой ЮКОСом нефти была 12–14 долларов за баррель, а ведь надо еще прокачать эту нефть, надо еще заплатить с нее налоги, пусть даже и оптимизированные. Выходило, что при тогдашней цене на нефть (8 долларов за баррель), компания работала себе в убыток. Выгоднее ей было совсем не добывать никакой нефти, но нельзя, потому что потеряет тогда работу весь город Нефтеюганск и весь город Стрежевой и половина города Томска и половина города Самары — и будет война, бунт и война. Зарплату компания ЮКОС не выплачивала рабочим полгода, просроченная кредиторская задолженность накопилась в 3 миллиарда долларов. ЮКОС работал только в девяти регионах страны, добывая 40 миллионов тонн нефти в год, и добыча нефти снижалась.

Десять лет спустя, когда Ходорковскому огласили девятилетний его приговор, в программе «К барьеру» на телеканале НТВ Борис Немцов попытался за Ходорковского вступиться, дескать, не надо сажать в тюрьму талантливого менеджера, выстроившего лучшую в России нефтяную компанию. А оппонент Немцова телеведущий Михаил Леонтьев возражал:

— Какой талантливый менеджер? Какой такой талант нужен, чтобы поставить над нефтяной скважиной качалку? Качать нефть и получать деньги! Какой талант? Качалка и все!

Борис Немцов тогда не нашел ответа. А мы найдем. Позвольте-позвольте. К 2003 году себестоимость барреля нефти, добываемой в компании ЮКОС, доведена была до 1,57 долларов, то есть сокращена в восемь раз.

Кто этого добился, если не Михаил Ходорковский? Зарплату рабочим платили регулярно: 7 тысяч рублей в месяц в европейской части России и 30 тысяч рублей — в Сибири. Компания работала в пятидесяти российских регионах, то есть раскинулась за десять лет впятеро. Компания добывала 86 миллионов тонн нефти в год, то есть выросла вдвое и росла еще. Компания платила налогов 5,3 миллиарда долларов в год и была вторым после «Газпрома» налогоплательщиком страны. Мало? Тогда приплюсуйте еще, что компания строила в северных городах жилье, спортивные залы и школы, а Михаил Ходорковский лично давал денег, чтобы оборудовать школы библиотеками и компьютерами, подключенными к интернету. Это ну никаким образом не называется «просто поставить качалку над скважиной». Это, вообще-то, называется талантливый менеджер, отстроивший лучшую в стране нефтяную компанию. Ну и повезло, конечно: цены на нефть поползли вверх, правда, вверх они поползли сколько-нибудь значительно в 2000 году, когда компания и без того уже вышла из кризиса.

Первым делом, памятуя про того парижского ресторатора на «Роллс-Ройсе», который время от времени работал в своих ресторанах официантом, чтоб понимать бизнес, Михаил Ходорковский решил тоже поработать в своей нефтяной компании всем — от простого рабочего вверх по служебной лестнице. К новому своему хозяину нефтяники поначалу относились презрительно и звали его московским банкиром. Но когда вокруг сибирские болота и мороз минус сорок, а на буровой жарко, и бур раскален докрасна, и брызжет в лицо черный кипяток, и мастер обкладывает матюгами за нерасторопность генерального своего директора, работающего в данный момент у него подмастерьем — согласитесь, возникает между мужчинами какая-то доверительность.

Вернувшись с буровой, Ходорковский, во-первых, велел одеть рабочих в хорошую спецодежду и обуть в хорошую спецобувь. А московский менеджер, которому поручено было заниматься спецодеждой для рабочих, воспринял это задание как повод украсть, поскольку сам бог ведь велел украсть немного на больших поставках одежды, в которых не учтешь же каждую шапку, каждые рукавицы и каждую пуговицу. И был уволен. И другой менеджер, занимавшийся спецодеждой, тоже был уволен. И третий только сообразил, что воровать не надо, а надо одеть рабочих.

Во-вторых, поговорив с буровиками, Ходорковский понял, что те не заинтересованы добурить до нефти, а заинтересованы просто бурить как можно больше. Таковы были пережитки советской плановой экономики: буровикам платили за пройденные метры, а не за добытые баррели. В результате скважин было набурено много, а нефти в этих скважинах было мало. Недостаточно ведь просто поставить над скважиной качалку, надо обеспечить еще в скважине хороший дебет нефти, чтоб было что качать.

Михаил Ходорковский нанял тогда американских специалистов Джо Мака (Joe Mach) и Дона Уолкотта (Don Wolcott). Григорий Явлинский говорит теперь, что компанию отстроил не столько Ходорковский, сколько Мак и Уолкотт. Ходорковский и сам пишет мне из тюрьмы: «Я должен честно признать — это команда (отстроила компанию.— В. П.): наши, американцы, французы, канадцы — они пришли, поверив мне, но сделали они».

Первым делом Мак и Уолкотт стали закрывать лишние скважины и закрыли половину скважин. Потому что каждая качалка денег ведь стоит, но не каждая качалка деньги приносит. Существуют современные хитрые технологии горизонтального бурения, но и с ними надо знать, где бурить, и для этого составляют компьютерные модели месторождений, и следят постоянно за каждой скважиной, и следят, как ведет себя под скважинами подземное озеро нефти, и двигают это озеро под землей, закачивая в скважины воду, и надо ведь знать, где закачивать. Нефтедобыча — это сложное и высокотехнологичное производство, которому годами учат людей лучшие университеты мира. И надо быть толковым менеджером, чтобы смирить спесь и позвать работать в компанию людей компетентнее себя. Они ведь, как правило, непослушные, эти компетентные люди. И они, как правило, не пользуются публичной популярностью и не являются записными дипломатами.

Закрытие убыточных скважин нефтяниками воспринималось в штыки, потому что означало для них потерю рабочих мест. Многие юкосовские инженеры реформы Уолкотта и Мака называли «макизмом» и открыто или тайно саботировали. Одного из лучших своих инженеров Ходорковский тогда вызвал на совещание в Москву и прилюдно доказал, что дебет нефти у этого инженера в скважинах упал не от того, что применены были продвигаемые Джо Маком технологии, а от того, что применены были неправильно. И уволил. Нарочно публично уволил, чтоб другие боялись. Это была показательная расправа, подобная той, которую через десять лет учинит над Ходорковским прокуратура, чтоб боялись другие богачи. Такая же расправа, правда, уволенного инженера не заключали под стражу. Ходорковский был жесток. Его боялись до обмороков. Особенно боялись, когда Ходорковский понижал голос и переходил почти на шепот — это означало высшую степень ярости.

Раз в неделю Ходорковский устраивал дружеские обеды для своих топ-менеджеров. Предполагалось, что за этими обедами в непринужденной обстановке руководители компании обменяются впечатлениями о проделанной работе. Но обеды эти в компании называли «язвенными», и никто из руководителей юкосовских подразделений не помнит, какие подавали за этими обедами кушанья. Все ждали разноса, и разнос непременно случался.

— А вот скажи мне…— Ходорковский называл одного из своих топ-менеджеров в райкомовском стиле на ты и по имени отчеству. — Что это там за проблема возникла у тебя позавчера?

С этими словами Ходорковский извлекал из папочки заранее заготовленные документы, схемы и графики, которые любил и называл презентациями. А упомянутый руководитель подразделения потуплял голову и думал: «Ну все! Пропал!» Разумеется, ни один из руководителей подразделений понятия не имел, какие там возникли позавчера проблемы на одном из мелких объектов его обширного хозяйства, а Ходорковский, казалось, знал все, и за всем в компании следил, как недреманное око. Это была иллюзия на самом деле. Просто к каждому «язвенному» обеду помощники нарочно выискивали для Ходорковского какой-нибудь неприятный казус, случившийся за тысячи верст и даже разрешенный уже соответствующим местным клерком, но каждую неделю каждый руководитель подразделения в ЮКОСе знал, что на «язвенном» обеде шеф может уесть и его, а потому старался предусмотреть каждую мелочь. Ну и зарабатывали, с другой стороны, неплохо.

Постепенно добываемая ЮКОСом нефть перестала уходить бандитам. На перерабатывающих заводах ЮКОСа постепенно вытеснены были давальческие схемы. Это было непросто.

Дело в том, что технологически нефтеперерабатывающий завод остановить нельзя, это опасно и, если остановишь, то трудно потом запустить снова. И вот в условиях падения нефтедобычи к концу каждого месяца, когда директора нефтеперерабатывающих заводов впадали уже потихоньку в истерику, понимая, что работы у их предприятий осталось на три дня, приходили к директорам давальцы, свободные нефтеторговцы, и предлагали переработать нефть. Где давальцы брали нефть, не обсуждалось: может быть, честно покупали на свободном рынке, может быть, брали у бандитов, облепивших в середине девяностых всю российскую нефтянку своими фирмами-посредниками, может быть, и сами были бандитами и сами имели посреднические фирмы.

Для директора завода давальческая нефть была спасением, потому что можно не останавливать завод. Для рабочих она тоже была спасением, потому что выдадут зарплату. И для местных властей давальческая нефть тоже была спасением, потому что рабочие не выйдут митинговать и требовать хлеба. Давальцев считали спасителями. К тому же директорам заводов давальцы платили наличными — миллион долларов, например, в чемоданчике за не совсем законную сделку. И рабочим платили наличными. И местную власть тоже, предположим, не забывали.

Правда, спасение дорого стоило. Особенно для владельцев компании ЮКОС: получалось, что на нефтеперерабатывающих заводах ЮКОСа перерабатывают в убыток ЮКОСу бог знает какую нефть, может быть, даже и украденную у ЮКОСа. За переработку нефти давальцы платили обычно ниже себестоимости. А из нефтепродуктов, на которые завод раскладывал давальческую нефть, давальцы брали назад только востребованный на рынке керосин и бензин. Мазут, битум, газойль и что там еще получается из нефти оставляли заводу, записывая в счет платы за переработку нефти. Хранить мазут и битум было дорого, продать — практически невозможно, поскольку в округе не требовалось никому столько мазута, а возить мазут на большие расстояния убыточно. Поэтому заводы списывали мазут и выбрасывали, отравляя землю, или закачивая в нефтяную трубу и снижая качество транспортируемой нефти. И то, и другое — незаконно.

Теперь, когда против Ходорковского всеми телеканалами страны ведется пиар-кампания, дело выглядит так, будто ЮКОС исправно платил налоги, пока был государственным, а когда приобретен был Михаилом Ходорковским, перестал платить, используя посреднические фирмы и налоговые льготы. Это неправда.

В конце девяностых годов налоги нельзя было заплатить сполна, не обанкротив компанию, хоть частную, хоть государственную, неважно. Налоги, если платить их сполна, составляли больше ста процентов оборота. Поэтому и существовали посреднические фирмы, покупавшие у нефтяных компаний нефть по трансферным, то есть заниженным ценам. В одном Нефтеюганске посреднических фирм, скупавших нефть, было двадцать, и половина из них принадлежала Отари Квантришвили, главе Солнцевской мафиозной группировки, который в 1994 году был убит в Москве на выходе из Краснопресненских бань. Причем киллер не просто бросил винтовку на месте преступления, но прежде чем бросить, разбил у винтовки приклад в знак уважения к только что убитому им великому разбойнику. Эти посреднические фирмы зарегистрированы были в офшорных зонах, от налогов были освобождены, или еще региональные власти имели тогда право освобождать компанию от уплаты налогов, если компания за это вложит в регион денег на что-нибудь социально значимое.

Нефтяная компания добывала, предположим, нефти на 100 долларов, должна была продать нефть за 100 долларов и 100 долларов заплатить налогов, немедленно разорившись и, уж во всяком случае, ничего не имея на развитие. Вместо этого нефтяная компания продавала свою нефть за 80 долларов посреднической фирме, платила 80 долларов налогов, а посредническая фирма зарегистрирована была в офшоре, налогов не платила, и продавала за 100 долларов нефть, купленную за 80. Уведенные таким образом от налогов 20 долларов нефтяная компания и посредническая фирма делили. Так, грубо говоря, выглядели схемы оптимизации налогов. Схемами этими пользовались все компании без исключения, и многие пользуются до сих пор, иначе бы остановился бизнес. И поскольку речь идет не о сотнях долларов, а о миллиардах долларов, то уведенные от налогов 20% как раз и образуют огромные барыши нефтяной отрасли.

Задача Михаила Ходорковского состояла не в том вовсе, чтобы придумать и запустить эти схемы оптимизации, но в том, чтобы уведенные (законно уведенные) от налогов деньги, не разворовываемы были посредниками, владельцами офшорных фирм, а оставались внутри компании и шли на ее развитие. Грубо говоря, Михаилу Ходорковскому надо было вытеснить из Нефтеюганска тех перекупщиков нефти, которые убили Отари Квантришвили, и заменить их своими перекупщиками, которые вкладывали бы деньги в развитие компании.

Говорят, году в 98-м Ходорковский ездил даже на совещание в Министерство по налогам и сборам и показывал тогдашнему главе налоговой службы Букаеву, как именно и сколько именно денег уводит от налогов. И так потом рассказывал об этом совещании:

— Мы ему (Букаеву) показали, что деньги не по карманам тырим, а вкладываем в модернизацию нефтеперерабатывающих заводов, что модернизация заводов — это три-пять лет и миллионы долларов, но модернизировать заводы все равно надо, потому что по качеству бензина мы отстаем от Европы лет на двадцать.

В этой истории опять проявилась уверенность Михаила Ходорковского в том, что он заведомо эффективнее государства и потому должен государство собой подменить.

Но прокуратура считает иначе. Прокуратура, а теперь уже и суд, считают, что, отстраивая ЮКОС, Михаил Ходорковский не подчинял себе ради развития компании существовавшие уже схемы ухода от налогов, а изобретал эти схемы самостоятельно. И всякий, кто мешал Ходорковскому, бывал убит, как мэр Нефтеюганска Петухов, или на жизнь его покушались, как покушались на жизнь главы компании «Ист петролеум» Евгения Рыбина, нефтяного перекупщика, от услуг которого Ходорковский отказался, и который вчинил Ходорковскому за расторжение контракта иск на 100 миллионов долларов.

Доказано уже в суде и разжевано по всем телеканалам, что Евгений Рыбин и его компания «Ист петролеум» представляла для ЮКОСа, как сам господин Рыбин говорит, стомиллионные проблемы. И тогда партнер Ходорковского Леонид Невзлин велел, дескать, заместителю главы службы безопасности ЮКОСа Алексею Пичугину Евгения Рыбина убить, а еще велел убить сотрудника ЮКОСа Колесова и бывшую сотрудницу Костину — они как-то там тоже очень мешали.

Доказано судом, что Алексей Пичугин нанял, чтоб убить этих троих, кума своего Сергея Горина, а тот нанял серийного убийцу Коровникова, а тот напал на Колесова, но не насмерть, взорвал дверь квартиры Костиной, когда Костиной не было дома, и взорвал автомобиль Рыбина, когда Рыбина в автомобиле не было. Один охранник Рыбина погиб, другой был тяжело ранен, лишился обеих ног.

Доказано судом, что поскольку все три покушения не удались, Пичугин отказался платить куму своему Горину, но Горин настаивал на оплате, хотел даже встретиться лично с Михаилом Ходорковским, но не получилось, и встретился тогда Горин с отцом Ходорковского Борисом Моисеевичем и разговаривал о чем-то полтора часа.

Доказано судом, что за такую настырность Алексей Пичугин убил кума своего Сергея Горина и жену его Ольгу. Правда, тел не нашли, а нашли только капли крови и мозга на полу, и капли эти по всем телеканалам показывал сын Ольги Гориной, мальчик, которого журналисты не постеснялись попросить провести экскурсию по дому, где убита была его мать. Правда, мальчик не видел, как убивали мать, а слышал только крики и выстрелы.

Все это доказано судом, но мы не знаем, как доказано. Процесс был закрытый. И вот я теперь сижу в гостиной офисного домика в лицее-интернате «Коралово» и спрашиваю Бориса Моисеевича Ходорковского:

— Борис Моисеевич, о чем вы говорили с убийцей Гориным, которого потом убил Пичугин?

— Ты что! — у старика дрожат руки.— Это грязная ложь, все что говорят по телевизору. Никакой убийца ко мне не приходил. Ни о чем я с ним не разговаривал. Вот ты сам подумай. Тут у меня дети. И вдруг приходит убийца поговорить. И говорит, что он убийца. Что бы ты сделал на моем месте? Ты что? Тут же дети! Я бы сразу вызвал Пичугина без разговоров, а Пичугин скрутил бы его и сдал бы в прокуратуру.

Суд предполагает, что Борис Моисеевич лжет, выгораживая сына, что был все-таки разговор у Бориса Моисеевича с убийцей Гориным. Суд основывается на свидетельстве серийного убийцы Коровникова, который утверждает, будто привозил Горина в «Коралово» и ждал полтора часа в машине. Вот и выходит, что суд верит серийному убийце и не верит гордому старику, который всю жизнь работал честно инженером на заводе, а теперь воспитывает беспризорных детей.

А я сижу и думаю: как это так получилось, что Алексею Пичугину, бывшему офицеру ФСБ, велено было убить троих человек: Рыбина, Колесова и Костину, а он, Пичугин, вместо того чтоб нанять профессионального снайпера, нанял своего кума? И как это так получилось, что в результате операции Рыбин, Колесов и Костина живы, а погиб только кум Пичугина?

И почему Рыбин, владелец компании «Ист петролеум», от посреднических услуг которой отказался Ходорковский, отстраивая ЮКОС, отпустил охрану в самый день покушения? Рыбин за отказ от сотрудничества вменил Ходорковскому стомиллионный иск, боялся расправы, нанял охрану, но в самый день покушения заехал к племяннице, охрану отпустил, то есть остался без охраны, и охрана взорвалась — что за совпадения такие?

Я сижу и думаю, почему Колесов говорит, что напали на него вовсе не в связи с ЮКОСом, а в связи с тем, что он продал каким-то людям гараж, зная, что гараж предназначен администрацией города под снос? И почему Ольга Костина, специалист по связям с общественностью, и Светлана Врагова, театральный деятель, выступив с обвинением Пичугина, Невзлина и Ходорковского в эфире всех телеканалов, получили вдруг возможность создать государственную правозащитную организацию «Сопротивление» на деньги крупных предпринимателей и не по заказу ли Кремля? И муж Ольги Костиной Константин 25 мая 2005 года (случайно совпало с оглашением приговора Ходорковскому) почему стал заместителем председателя Центрального исполнительного комитета партии «Единая Россия» и распоряжается теперь пиаровскими бюджетами партии? Почему?

Нет ответа. Процесс-то закрытый. На самом же деле Ходорковскому не было никакой надобности убивать ни мэра Нефтеюганска Петухова, ни бизнесмена Рыбина. Достаточно было просто отказать этим людям в деньгах, и у них сразу появлялись десятки смертельных врагов помимо Ходорковского. На самом деле, можно даже предположить, что если бы Ходорковский и другие крупные предприниматели отказали в деньгах президенту и правящей партии, у тех тоже мгновенно появились бы миллионы смертельных врагов. Просто Ходорковский со своей манией эффективности оказался сильнее городской власти в Нефтеюганске. А федеральная власть оказалась сильнее Ходорковского, как бы он там ни был по-своему эффективен.

ГЛАВА 5

ПРОРВЕМСЯ!

К началу двухтысячных годов Михаил Ходорковский отстроил компанию ЮКОС, но не совсем по плану. Прежде чем отстроить компанию, Михаилу Ходорковскому пришлось еще пройти кризис 1998 года — экономический кризис в стране и свой личный, внутренний человеческий кризис.

Когда я только начинал собирать материалы для этой книги, я спрашивал адвоката Антона Дреля, станет ли Михаил Ходорковский из тюрьмы отвечать на мои вопросы. Дрель тогда посещал своего подзащитного каждый день и говорил, что Ходорковский читает меня, и что ему нравятся мои заметки. Еще Ходорковский — Дрель утверждает, что запомнил его слова почти дословно, — говорил, что изломы его судьбы (он так и сказал «изломы») связаны, дескать, с внутренней переоценкой ценностей, произошедшей у Ходорковского после августа 98-го.

— Вы понимаете, что он имеет в виду, Антон? — спрашивал я адвоката в московском клубе «Билингва», где мы пили чай за считанные недели до того, как «Билингва» сгорела.

— Понятия не имею, — Антон пожимал плечами. — Напишите ему официально через изолятор, спросите.

И вот я пишу письмо в тюрьму:

«Михаил Борисович, что-то я не очень понимаю, почему корень теперешних событий, происходящих с Вами, Вашей компанией и нашей страной, Вы видите в 98-м году? Если Вы поняли тогда, что власти нельзя верить, то почему же поверили президенту Путину весной 2003-го?»

И вот я жду ответа из тюрьмы. И пока жду, пытаюсь найти ответ самостоятельно. Я бы понял, например, если б Ходорковский считал причиной своего ареста и разрушения компании 1996 год. Вот он же пишет в статье «Левый поворот»:

«В 1996 году Кремль уже знал, что пролонгировать праволиберальный ельцинский режим демократическим путем невозможно — в условиях состязательности и равенства всех соискателей власти перед законом Зюганов непобедим. Потом стало ясно, что и преемственность власти в 2000 году нельзя обеспечить без серьезного отступления от демократии. И так возник Владимир Путин с уже начавшейся второй чеченской войной на плечах и политтехнологическим сценарием, призванным обеспечить „стабильность во власти — стабильность в стране".

...новое поколение кремлевских кукловодов просто решило, что для выживания режима необходим гигантский блеф... Этот блеф и стал основным содержанием проекта „Путин-2000". Авторитарного проекта, который явился прямым логическим продолжением и следствием проекта „Ельцин-1996"».

Вот так понятно. Понятно, если Ходорковский говорит, что сам же в 1996 году в обмен на нефть помог удержаться авторитарному ельцинскому режиму, а в 2000 году, чтоб удержаться, режим вынужден был стать еще авторитарнее, а в 2003 году Ходорковский с этим авторитарным режимом поссорился и загремел в тюрьму. Вот так было бы понятно, если бы корень своих бед Ходорковский видел в 1996-м годе или в 2000-м. И непонятно, почему все же видит в 1998-м.

Попробуем разобраться. В 1997-м еще начался азиатский биржевой кризис. Котировки падали, цены на нефть падали, в России этот биржевой кризис отзывался так, что денег не было и взять было неоткуда. Однако же Борис Немцов вспоминает:

— Ничего страшного не было, лучший был год в новейшей истории России. Реформаторы были у власти. Чубайс был министром финансов, я был министром топлива и энергетики. Инфляция была 10%. Мы толково все делали. Если бы правительство проводило последовательную политику, легко можно было бы разрулить последствия азиатского биржевого кризиса в России. А дефолт августовский случился из-за эклектичности политики. Не отставай, Панюшкин.

Поговорить с Немцовым про 1998 год я приехал в подмосковный санаторий «Лужки», где Немцов отдыхает. А отдых у него заключается в том, чтобы одеться в спортивный костюм и кроссовки и потащить меня быстрым спортивным шагом наматывать вокруг санатория километры по живописной лесной дорожке.

— Советник! — я дразню Немцова советником, потому что он советник украинского президента Ющенко.— Может, лучше в кафе посидим? Я же так подохну круги тут с тобой наматывать!

— Давай-давай! Нам надо двенадцать километров пройти!

И все истории про Ходорковского у Немцова тоже начинаются с того, как они, Ходорковский и Немцов с целью поговорить отправились на пешую прогулку.

Михаила Ходорковского, строившего нефтяную компанию, разумеется, не радовало в 1997 году падение цен на нефть, но он говорил: «Прорвемся!» Инна Ходорковская вспоминает, что чем хуже обстояли дела, тем чаще ее муж говорил «прорвемся» и тем головокружительнее были приходившие ему в голову идеи. Инна говорит, что в те редкие выходные дни, когда Ходорковский бывал дома, он предлагал жене и дочери сыграть в какую-нибудь настольную игру, до которых Инна большая охотница, играл с ними до тех пор, пока Инна и Настя увлекались игрой, а потом выходил из игры, садился в сторонке с компьютером, поглядывал, улыбаясь, как дочь и жена играют, а сам обдумывал очередную, головокружительную, по внешнему его виду судя, идею.

Мы сидим с Инной в «Book-кафе». Я спрашиваю:
— Ему везло в играх?
— Всегда! — Инна кивает.— Я даже в день его ареста все время думала, как это так ему вдруг не повезло, он же Мистер Фортуна. Ему невероятно везло, и, навер-

ное, поэтому он никогда не любил играть. Мы только
однажды с ним на отдыхе зашли в казино, он сделал
ставку, выиграл, сказал, что неинтересно, забрал вы-
игрыш и ушел.

Бороться с низкими ценами на нефть Михаил Ходорковский решил не так, чтоб затаиться, распродать
непрофильные активы и снизить зарплату рабочим, а
так, чтоб вдобавок к имевшимся у ЮКОСа четырем
миллиардам долга взять еще полмиллиарда у банка
«Лионский кредит» и купить Восточную нефтяную
компанию (ВНК), потому что без ВНК ЮКОСу труднее
было бы отдать четыре миллиарда долгов, чем с ВНК
отдать четыре с половиной. Впрочем, зарплату рабочим он тоже снизил. Сам поехал в Нефтеюганск, один
полтора часа разговаривал с целым залом нефтяников,
и нефтяники не разорвали его на лоскуты, и он даже
убедил нефтяников, что им же выгоднее пока согла-
ситься на снижение зарплаты на треть, а потом зато,
когда компания выведена будет из кризиса, получить
зарплаты больше и стать акционерами. Они ему поверили. Он их не обманул.

Совсем в другое время и совсем по другому поводу
банкир Михаил Фридман сказал мне, что никакое это
не искусство, если компания твоя растет на фоне экономического подъема, когда все растут. Искусство,
по словам Фридмана, заключается в том, чтоб компания росла во время всеобщего кризиса, или хотя бы теряла меньше, чем теряют конкуренты. Служением этому искусству, насколько я могу судить, и занят был Михаил Ходорковский в 1997-м и начале 1998 года.

Служением ему же тогда же, если верить Немцову,
был занят и Анатолий Чубайс на посту министра финансов. Государству надо было достать хоть как-нибудь
денег (платить зарплаты бюджетникам, содержать ар-
мию, здравоохранение худо-бедно, образование хоть
как-нибудь), и государство решило сыграть в игру, из-
вестную уже нам по 1994 году, по финансовым пирами-
дам МММ, «Гермес-финанс», «Хопер-инвест». Госу-

дарство решило само построить финансовую пирамиду, выпустив ценные бумаги, называвшиеся Государственными краткосрочными обязательствами (ГКО), и приносившие невероятные доходы в рублях. Разница была только в том, что если компания МММ собирала деньги с населения, то государство, выпустив ГКО с высокой процентной ставкой, собирала деньги с банкиров и западных портфельных инвесторов.

Я поспешаю за Немцовым по лесной дорожке, и у меня так болит селезенка, что хочется верить, будто ГКО поначалу были частью честного плана по оздоровлению экономики и пережиданию низких цен на нефть, а не просто самой большой финансовой пирамидой. Но работали они именно как финансовая пирамида. Банкиры и инвесторы вкладывали в ГКО деньги и быстро получали большие проценты за счет новых инвесторов, которые покупали ГКО и тоже ждали вскорости высоких процентов. Пирамида разрасталась. Разумеется, банкиры и инвесторы понимали, что она рано или поздно может лопнуть, но ради больших процентов готовы были рисковать, надеясь, что успеют сбросить свои ГКО и выручить свои деньги до падения пирамиды.

Банк МЕНАТЕП тоже значительные средства держал в ГКО. Думаю, что возглавлявшие банк «предприимчивые финансисты, имевшие доступ к закрытой информации», надеялись, что реформаторы, находившиеся у власти, предупредят их заблаговременно, если пирамида станет рушиться, и они, банкиры, успеют спасти вложенные в ГКО деньги, а убытки понесут западные инвесторы.

Впрочем, было два способа демонтировать пирамиду ГКО мягко и относительно безболезненно. Во-первых, можно было девальвировать рубль, то есть позволить рублю постепенно дешеветь относительно доллара. Тогда получалось бы, что доходность ГКО в рублях высока, как и было обещано, но рубль все время дешевеет, и в долларах не так уж много получают западные инвесторы, вложившие спекулятивные капиталы в Россию. Получалось бы, что западного инвестора хитростью заманили дать России в долг под небольшие проценты, чтоб Россия поднимала экономику. В случае медленной девальвации получалось бы, что и российские банки тоже под небольшой процент одолжили денег государству, но банки были не против, поскольку у крупных банков, державших деньги в ГКО, были и свои нефтяные компании, а слабый рубль выгоден экспортерам нефти. Несколько раз банкиры и промышленники в начале 1998 года собирались вместе и приезжали в правительство — просили начать медленно девальвировать рубль. Но против девальвации рубля, защищая западных инвесторов, выступал Международный валютный фонд (МВФ).

Грубо говоря, Международный валютный фонд предлагал российскому правительству рубль не девальвировать и западных инвесторов не грабить, а за это обещал сам дать российскому правительству денег в долг до тех пор, пока цены на нефть снова не вырастут, и Россия не сможет расплатиться по всем своим долгам, как легко расплачивается теперь в середине двухтысячных, когда нефть стоит 60 долларов за баррель. Переговоры с Международным валютным фондом тоже вел Анатолий Чубайс, рубль держали, но МВФ денег все как-то не давал, не знаю уж, о чем они там торговались. А пирамида ГКО все росла и росла.

И надо же понимать, что в этой большой политической и большой экономической игре не ты один играешь, а тысяча человек играет каждый свою игру несимметрично, как если бы на бескрайней шахматной доске сражались друг с другом фигуры тысячи разных цветов. Ходорковский строил свой ЮКОС, а Лужков, например, строил Москву. Интересы могли совпадать или быть противоположными. Коммунистический парламент грозил президенту Ельцину импичментом. Президент Ельцин грозил парламенту выдвинуть на пост премьер-министра такую кандидатуру, чтоб парламент трижды отверг ее и был распущен. Березовский, если верить Немцову, хотел приватизировать «Газпром», а Немцов говорит, что мешал ему. Гусинский хотел приватизировать «Связьинвест», государственную компанию, владеющую всеми в стране проводными телефонными линиями, каковые тогда ценились больше, чем теперь, ибо не было еще у каждого школьника в кармане мобильного телефона. И Березовский тоже, кажется, хотел приватизировать «Связьинвест» — черт ногу сломит. А Сорос пришел тогда к Немцову и спросил:

— Вы честный будете устраивать аукцион по «Связьинвесту» или как всегда?

— Честный,— отвечал Немцов.

Сжалившись надо мной, Немцов, наконец, сворачивает с живописной лесной дорожки в санатории «Лужки», мы садимся за столик в кафе, и Немцов говорит:

— Мы тогда с Чубайсом решили провести честный аукцион по «Связьинвесту». Образцово-показательный, прецедентный. Понимаешь, Панюшкин, если законов в стране толком нет, то действуют только самые простейшие и самые открытые законы. И мы предлагали открытый аукцион по «Связьинвесту», со стартовой ценой полтора миллиарда долларов и никаких конвертов. Я пришел тогда к Чубайсу и сказал: «Ты понимаешь, Чубайс, что нас будут мочить все? Гусинский, Березовский, коммунисты — все! Ты понимаешь, что мы должны быть чисты? Ты чист, Чубайс?» А Чубайс сказал мне тогда: «Ты меня за идиота держишь? Конечно, понимаю! Если бы я не был чист, разве бы я полез в это дело!» А через несколько дней после того, как мы стали готовить аукцион по «Связьинвесту», прихожу я к Чубайсу, а он красный сидит, как помидор, и говорит: «Я совсем забыл. У меня в Мост-банке (принадлежавшем Гусинскому) на счете 100 тысяч долларов лежит, гонорар за книжку про приватизацию, которую мы должны были написать, но не написали». Я ему говорю: «Чубайс, ты идиот! Нам пи..ец!

Меня только радует, Чубайс, что ты честный человек, потому что работаешь министром финансов, а обвинить тебя можно только в том, что ты присвоил 100 тысяч долларов за книжку, которую поленился написать. Но нам все равно хана!» По этому «делу писателей» нас мочили все: Березовский, Гусинский, коммунисты. И окончилось тем, что дедушка,— Немцов имеет в виду президента Ельцина,— сказал мне: «Я устал вас с Чубайсом защищать». Чубайса уволили с должности министра финансов, меня уволили с должности министра топлива и энергетики. Оставили нас только вице-премьерами, то есть щеки надувать мы могли, а сделать реально не могли ничего. А Черномырдин реально почувствовал себя преемником.

Я сижу с Немцовым за столиком в кафе санатория «Лужки» и такую испытываю к Немцову благодарность за то, что он не тащит меня больше спортивным шагом по лесной дорожке, что мне хочется ему верить. Как же мне хочется ему верить, что тогда в 1997 году мы были в шаге от построения демократической и свободной страны, и все сорвалось от того лишь, что у Анатолия Чубайса случайно завалялись на счете в Мост-банке 100 тысяч долларов — сумма, которую сейчас, при нынешнем уровне коррупции никто и деньгами-то не считает среди приближенных к власти.

Дальше я не знаю толком, как произошло, что премьер-министром страны стал Сергей Кириенко. Говорят, будто Ельцин хотел ослабить Черномырдина, слишком почувствовавшего себя преемником. Говорят, наоборот, будто кремлевские, как выражается Ходорковский, кукловоды хотели Черномырдина сохранить в преемниках, и нарочно назначили Кириенко, чтоб снять с Черномырдина и свалить на Кириенко всю ответственность за обрушение пирамиды ГКО. Говорят, будто Березовский, пользуясь своим влиянием на президента, хотел сделать премьером Ивана Рыбкина, убедил Ельцина, во всяком случае, Черномырдина уволить, но тут инициативу перехватил у Березовского Чубайс, и премьер-министром назначен был с подачи Чубайса Кириенко. Черт ногу сломит. Ненавижу эти слепые политологические гадания. Говорят еще, будто Ельцин нарочно предложил в премьеры немцовского протеже Кириенко, чтоб коммунистическая Дума трижды отвергла его кандидатуру, и можно было Думу распустить и назначить новые выборы, но коммунисты самороспуска испугались. Говорят еще, будто Кириенко понимал, что его назначают, чтоб свалить на него ответственность за неизбежный дефолт, но не считал дефолт неизбежным.

Немцов говорит:

— Когда Кириенко назначили премьером, мы поехали с ним погулять в Архангельское (бедный Кириенко, представляю себе, как и его тоже Немцов таскал кругами все свои двенадцать километров.— В. П.), и он мне говорит: «С чего бы такого начать яркого?» А я ему говорю: «Начни с девальвации рубля!»

В статье своей «Кризис либерализма в России» Михаил Ходорковский пишет:

«О чем думали либеральные топ-менеджеры страны, когда говорили, что дефолту 1998 года нет альтернативы?! Альтернатива была — девальвация рубля. Причем в феврале и даже июне 1998 года можно было обойтись девальвацией с 5 рублей до 10−12 рублей за доллар. Я и многие мои коллеги выступали именно за такой вариант предотвращения нависавшего финансового кризиса. Но мы, располагая в то время серьезными рычагами влияния, не отстояли свою точку зрения и потому должны разделить моральную ответственность за дефолт с тогдашней властью, безответственной и некомпетентной».

Он пишет про февраль и июнь, потому что в феврале и июне 1998 года дважды приезжали крупнейшие банкиры и промышленники России в правительство просить девальвации. И я не знаю, почему не послушал их Сергей Кириенко. Может быть, потому что на Горбатом мосту у Белого дома каждый день стучали касками о брусчатку бастующие шахтеры, а Кириенко был уверен, и говорил мне, что бастовать нанял шахтеров Борис Березовский, и что шахтеры завоют в эфире принадлежавшего Березовскому телеканала ОРТ, как только рубль станет дешеветь, съедая шахтерские зарплаты. Немцов говорит еще, что в начале лета приезжали в Россию совещаться про грядущий кризис финансисты из Международного валютного фонда и министерства финансов США, но Кириенко их не принял, сославшись на недостаточную представительность делегации. Не знаю, почему не принял.

Семнадцатого августа 1998 года я с семьей был в отпуске на острове Корфу, а маме моей в квартиру вдруг позвонили, уже ближе к вечеру. Мама открыла. На пороге стоял мой друг кинооператор Андрей Макаров, которого мама, может быть, пару раз до этого и видела, но в лицо не вспомнила. Малознакомый молодой человек сказал моей маме:

— Здравствуйте, у вашего сына деньги есть? Рубли? Несите их скорей сюда!

Мама моя, как загипнотизированная, пошла в мою комнату, вытащила из письменного стола сколько там было рублей и безропотно отдала их малознакомому молодому человеку. И тот ушел, сказав:

— Угу! Я скоро вернусь.

Все пункты обмена валюты в городе были уже закрыты, потому что рубль падал, рушился, и только на киностудии «Мосфильм» работал еще каким-то чудом обменный пункт. Оператор Андрей Макаров, зная, что я в отпуске, обменял все мои рубли на доллары в последнем открытом в Москве обменном пункте. Вернулся уже к полуночи и вручил ничего не понимающей моей маме 1000 долларов — все мои тогдашние сбережения, которые назавтра превратились бы в 300 долларов, потому что рубль за одни сутки упал втрое, с 6 до 18 рублей за доллар, и продолжал падать.

Пирамида рухнула оглушительно, государству нечем было платить по ГКО, банки потеряли свои вложенные в ГКО деньги. Люди бросились в банки забирать свои вклады, но у банков не было денег, чтоб заплатить вкладчикам, и банки в один день лопнули. Предприятия тоже не могли получить в банках денег со своих счетов, потому что не было денег, и пришлось многим предприятиям закрываться или увольнять персонал, или сокращать персоналу зарплату.

Газета «Коммерсантъ», где я работал, вышла тогда с заголовком «Прорвемся!» на первой полосе, и, вернувшись из отпуска, я застал такую ситуацию, что треть сотрудников редакции уже уволена, а остальным сокращена зарплата вчетверо. Я, к счастью, оказался среди тех, кому сокращена зарплата. Мы прорывались года полтора и прорвались в конце концов, но тогда, осенью 98-го клич «Прорвемся!», может быть, и обогащал кровь адреналином, однако ж уверенности не вселял.

Вопреки пословице, запрещающей менять на переправе коней, правительство Кириенко было отставлено. Получилось, что даже самые верные сторонники либералов-реформаторов, предприниматели и высоко оплачиваемые профессионалы видели, как либеральное правительство умеет ввергать страну в кризис, но не видели, как умеет страну из кризиса выводить. И либералы тогда надолго, если не навсегда лишились своих сторонников.

Исполнять обязанности премьер-министра назначен был опять Виктор Черномырдин, но действия его были паническими и только усугубили кризис. Если бы president не нашел тогда, кого предложить парламенту на должность премьера, так, чтоб парламент согласился, то парламент по закону был бы распущен, и к экономическому кризису добавился бы политический. Григорий Явлинский тогда предложил на должность премьера себя, а своих товарищей по партии «Яблоко» — в правительство. Это был смелый поступок, потому что кризисный премьер в памяти народной предстает человеком, который правил, когда нечего было жрать. Принятые кризисным премьером меры заметны бывают не сразу, и к тому времени, как жизнь начинает налаживаться, кризисный премьер бывает уже уволен, как уволен был Егор Гайдар, а плоды трудов кризисного премьера пожинает *следующий за ним*. Так вот, депутаты Госдумы в лицо смеялись Григорию Явлинскому, когда тот предложил себя в кризисные премьеры: «Ишь, чего захотел! Власти!»

Премьером был назначен Евгении Примаков, выходец из спецслужб, известный, впрочем, тем еще, что единственный, кажется, из всей властной элиты живет не во дворце, а в скромном дачном домике, то есть не коррумпирован. А правительство Примакова в основном состояло из коммунистов. И получалось очень похоже на ту схему, которую предлагал Михаил Ходорковский в письме «Выйти из тупика!»: президент Ельцин, как гарант свободы, и коммунистическое правительство, как гарант справедливости.

Однако же президент Ельцин был болен, тяжело болен. Все на свете были уверены, что следующим президентом станет Примаков. И это было уже слишком похоже на возвращение советского строя: спецслужбы и коммунисты у власти. И это стало тем более похоже на возвращение советского строя, когда Евгений Примаков, направляясь с визитом в Америку, узнал, что американцы бомбят Югославию, развернул над Атлантикой самолет и отменил визит, поссорившись с американцами. То есть совсем как в Советском Союзе: коммунисты и спецслужбы у власти, в придачу холодная война с Америкой.

Слишком узкое оставалось поле для политического маневра у «кремлевских кукловодов», как выражается Ходорковский, имея в виду Бориса Березовского, вероятно. Нечего было противопоставить столь уже близкому к завоеванию власти тандему спецслужб и коммунистов. Разве только пересорить их между собой. Помочь спецслужбам получить власть, но без коммунистов.

И вот вам Владимир Путин. Чем не премьер и чем не президент? И через полтора года после кризиса, благодаря телевидению Березовского и телевидению Гусинского рейтинг Путина растет в считанные месяцы с 5% до 60%. И благодаря второй чеченской войне, которая поначалу кажется победоносной, тоже растет рейтинг. И благодаря террористическим актам — растет. И даже либералы подгавкивают, что пусть станет, дескать, Путин российским Пиночетом, проведет жесткой рукой либеральные реформы и, проведя, вернет нам свободу и установит нам справедливость. А народу только и подавай жесткую руку.

И надо же понимать, что большая эта политическая игра не одним человеком ведется, а тысяча человек играет увлеченно каждый свою игру, как если бы на бескрайней шахматной доске сражались друг с другом фигуры тысячи разных цветов. А шахматная доска — это мы, люди. Это наши деньги сжигают политические игроки в своих финансовых кризисах, наши дома взрывают в борьбе друг против друга, на нашей земле ведут друг против друга войну и в наших мозгах зарабатывают себе популярность.

Осенью 1998 года в компании ЮКОС происходило одно сплошное оперативное совещание с утра до вечера, и даже обеденные перерывы неизбежно каждый день превращались в «язвенный» обед. Михаил Ходорковский, говорят, занимался решением таких мелких проблем, про существование которых и знать-то не должен глава компании. Типа: лопнул трос на буровой под городом Нефтеюганском, так где в условиях кризиса взять трос, и где в условиях кризиса взять на трос деньги, и можно ли трос сегодня, а деньги завтра.

Банк МЕНАТЕП был разорен. Никакие связи в правительстве не помогли. Если Ходорковский и был предупрежден об обрушении пирамиды ГКО, то слишком поздно, чтоб сбросить ГКО и спасти деньги. Акции ЮКОСа, заложенные иностранным банкам в обеспечение кредита, потраченного на покупку Восточной нефтяной компании, были арестованы. Миноритарные акционеры ЮКОСа, чувствуя, что Ходорковский слаб, предъявили сразу несколько судебных исков. Правительство увеличивало налоги на нефть.

Ходорковский ездил в правительство и в налоговую службу, разъяснял, что не надо в условиях кризиса придумывать новые налоги на нефть, а надо, наоборот, налоговое бремя ослабить, и тогда нефтяная отрасль первой выберется из кризиса и вытащит за собой всю страну. Он принял решение выплатить постепенно все деньги всем вкладчикам разорившегося Банка МЕНАТЕП и выплатил. Он судился с миноритарными акционерами. Он, кажется, действительно верил в это свое «Прорвемся!».

Одна моя подруга остроумно заметила однажды, что патриоты и государственники почему-то покупают недвижимость за границей и не рожают в России детей, а демократы, кричащие вечно, что кризис и конец света, покупают недвижимость в России и детей рожают. Так вот, младшие дети Ходорковского близнецы Глеб и Илья зачаты были именно в то кризисное лето 98-го. И глупо же думать, будто в 35 лет дети у человека могут получиться случайно. А в год после кризиса, когда далеко еще было до того, чтоб прорваться, Ходорковский, пользуясь падением цен на недвижимость, строил дом в поселке Яблоневый сад. А через два года, когда только-только прорвались, адвокат Антон Дрель пришел наниматься к Ходорковскому на работу и как личный его адвокат спросил, какая у Ходорковского есть недвижимость за границей, и выяснилось, что нет никакой.

Я, наконец, получаю от Ходорковского письмо из тюрьмы. Он пишет:

«Из дефолта я вынес не урок, что государство меня (да и всех) обмануло. Это само собой, и было для меня неважно. 1998 год был годом осознания, что есть не только законы, но и этика, что в самой тяжелой ситуации часть людей остается людьми и таких много. Что бизнес — это не игра, не шахматы — это люди, за которых ты отвечаешь, за их семьи, за их пенсии. Каждая ошибка, каждое „не подумал" может стоить кому-то страданий.

Ответственность просто придавила, причем, если бы люди ругались, плевались, орали — было бы легче. Такое было, но мало, а, в основном, они просто страдали и надеялись, заранее простив, если ты их обманешь, как их обманывали все и всегда.

Я не знаю, смог ли я донести до Вас, почему 98-й год стал переломным для меня и в каком смысле. Я решил, что не только должен отдавать долги, но и что-то сделать, чтобы люди жили лучше, чтобы не было этой покорной уверенности, что обязательно обманут. Не знаю, как объяснить. В общем, производство перестало быть единственной целью. Тогда (не сразу, а через год-два приблизительно), я понял, что из бизнеса мне надо уходить.

Доделать то, что пообещал людям и уйти, потому что в бизнесе надо быть готовым к жестокости и бескомпромиссности, а моя скорлупа дала трещину. И я постепенно сместился в сторону общественной деятельности, занялся изменением условий бизнеса, законами, этическими правилами».

Я держу в руке листок и перечитываю: «...скорлупа дала трещину». Ничего себе!

ГЛАВА 6

ЗЕЛЕНОЕ ПИСЬМО

Мы сидим с Инной Ходорковской в «Book-кафе», и я спрашиваю, рассказывал ли ей муж про свою работу.

— Ну, может, хвастался успехами?

— Нет, но как-то он показывал, когда ему в голову приходила хорошая идея,— Инна запускает пальцы в свои светлые волосы и шевелит пальцами в волосах, демонстрируя, как у Михаила Ходорковского наглядно шевелились в голове мысли.— Как-то это было заметно.

— А ныл, если что-нибудь не получалось? Я потому что, например, люблю поныть, чтоб жена поработала мамочкой.

— Нет, никогда. Он и в тюрьме даже всегда улыбается на свиданиях, всегда у него все хорошо.

— А про Кеннета Дарта он вам рассказывал?

— Это какой год? 1999-й? — Инна усмехается.— В 1999-м я рожала.

— Что весь год рожали?

— Ну практически. У меня отрицательный резус. А у мальчиков положительный, и их двое, и вы же понимаете...— говорит Инна, как будто я действительно понимаю.— Мне все врачи говорили, что я их не выношу, и пришлось поехать в Швейцарию и прожить там почти всю беременность.

— Понравилось вам в Швейцарии?

— Нет! Жить нет! — Инна машет руками, как если бы ее атаковал небольшой рой пчел.— Так, приехать погулять пару недель хорошо, а жить невозможно. Во-первых, скучно очень...

— То-то вам здесь весело...

— Во-вторых,— Инна улыбается вдогонку моей мрачной шутке,— там соседка у меня была старушка, и она все время писала доносы в полицию, что я незаконная иммигрантка. И знаете, на пятый раз действительно начинаешь чувствовать себя незаконной иммигранткой. А потом дети родились, кричать стали...

— А Ходорковский, значит, сидел в Москве строил дом?

— Дом строили рабочие. Я когда через год приехала, дом уже стоял, но половина всего внутри сделано было не так, как я хотела. Я говорю: «Ребят, вроде мы как-то не так договаривались». Но ничего, стали жить.

В 2003 году, когда Ходорковского арестовали, в газетах была опубликована фотография дома Ходорковского. Дом этот, правда, оказался впоследствии фальшивым. То есть это не дом Ходорковского и вообще не дом из поселка Яблоневый сад. Просто непонятно чей дворец с Рублевского шоссе. А дом Ходорковского — довольно небольшой, скандинавского такого типа — невысокий, из бревен и кирпича. Поселок Яблоневый сад теперь стоит пустой, темный. Никто не живет в доме Невзлина, никто не живет в доме Брудно, никто не живет в доме Дубова. В доме Лебедева живет его жена. В доме Ходорковского живет Инна с детьми. Только два дома на весь поселок, где по вечерам в окнах зажигается свет. Я спрашиваю:

— Как же вы живете там, в темном поселке?

— Привыкли,— Инна поднимает на меня глаза, кажется, затем, чтоб я оценил ее решимость никуда не уезжать из этого дома и в этом доме дождаться возвращения хозяина.— Сначала было жутко, но потом ничего. Ко всему можно привыкнуть. Он же привык жить в тюрьме.

В 1999 году Михаилу Ходорковскому действительно было не до строительства дома. У него отбирали компанию. Отстроенную почти и выведенную почти из кризиса нефтяную компанию ЮКОС. Отбирал некий Кеннет Дарт, гражданин Белиза, бывший гражданин Соединенных Штатов, миллиардер, крупнейший в Соединенных Штатах производитель пластиковых стаканчиков для ресторанов фаст-фуда. Отец Кеннета Дарта, говорят, сам и придумал эти дутые пластиковые стаканчики, через которые горячий кофе не обжигает руку.

А Кеннет Дарт, унаследовав компанию отца, производством пластиковых стаканчиков не ограничился и занялся в основном гринмэйлом — вполне законным и, надо признать, весьма изобретательным шантажом, направленным на захват чужих компаний либо на получение значительных отступных, если владелец компании не хочет, чтоб его компания была захвачена.

Блэкмэйл (blackmail), черное письмо — так по-английски называется шантаж. Гринмэйл (greenmail), зеленое письмо — это та работа, которой кроме Кеннета Дарта занимается еще герой Ричарда Гира в фильме «Красотка». Работа законная, но кажущаяся бесчеловечной молодой проститутке, которую играет Джулия Робертс, да и у самого героя Ричарда Гира вызывающая угрызения совести, каковые угрызения гоняют его по ночам в гостиничный бар играть на рояле.

В самом грубом приближении смысл гринмэйла таков: надо найти компанию, владелец которой собирается вот-вот компанию свою реструктурировать или модернизировать, или расширить. Одним словом, надо найти такую компанию, владелец которой собирается вот-вот что-то с компанией сделать такое, на что по закону ему потребуется согласие акционеров. Надо найти такую компанию и купить блокирующий пакет ее акций. Можно даже не покупать блокирующего пакета, а купить столько акций, сколько необходимо, чтобы созвать собрание акционеров — 10%, например.

И вот, когда владелец компании примется компанию свою модернизировать или расширять, надо всячески мешать ему. Если, например, владелец созывает собрание акционеров и предлагает не выплачивать в следующем году дивиденды, а пустить заработанные деньги на развитие компании, то надо голосовать против, и других миноритарных акционеров убеждать, что развитие компании есть бессмысленная блажь, и обращаться в суд, дескать, посмотрите, крупнейший акционер грабит мелких акционеров. А суд потянется долго, и это остановит задуманную владельцем модернизацию, и если модернизация уже начата, и вложены уже в модернизацию деньги, то владелец компании будет деньги терять, поскольку они лежат мертвым грузом.

Так еще надо и самому созывать собрания акционеров, и опять тянуть время и снова, и снова ставить на повестку дня вопрос о ненужности модернизации. Или можно ставить на повестку дня совсем не имеющие отношения к модернизации вопросы, и опять тянуть время, и парализовать работу. И все это затем, чтобы прийти в один прекрасный день к владельцу и сказать: «Я перестану вставлять тебе палки в колеса, если ты купишь у меня мои 10% акций по цене втрое выше рыночной». А владелец, напомним, вложил уже в модернизацию миллионы и надеется заработать миллиарды, обыграв в результате модернизации конкурентов. Но модернизация, напомним, остановлена, идут, напомним, суды, и владелец теряет время и деньги, и от конкурентов отстает, и выгоднее ему, честное слово, купить уже эти несчастные 10% акций, пусть даже и втрое дороже их настоящей цены.

Американские законодатели, когда гринмэйл расцвел в Соединенных Штатах, обложили доходы от гринмэйла 90-процентным налогом, но не запретили. Конгрессмены рассудили так, что шантажисты подобны волкам — они санитары леса. Владелец атакуемой компании заплатит шантажисту отступные, только если задуманная им модернизация действительно, по мнению владельца, приведет к росту компании и увеличению прибыли. А если модернизация — блажь или глупый эксперимент, или повод не платить акционерам дивиденды, то, столкнувшись с шантажистом, владелец лучше модернизацию отменит, и вкладывать в ненужное развитие ничего не будет, и тихие акционеры получат свою долю доходов. Если же модернизация действительно принесет компании прибыль, и владелец эту прибыль рассчитал, и она так велика, что имеет смысл ради нее даже платить шантажисту, то, значит, акционеры получат свою прибыль сторицей через несколько лет, шантажист получит барыш, а государство с этого барыша получит 90%.

Когда был принят этот мудрый закон, Кеннет Дарт отказался от американского гражданства. Поначалу купил себе посреди океана остров и решил устроить себе на этом острове страну Дартландию. Но потом идею страны забросил и живет теперь на бронированной яхте, плавающей по мировому океану, как настоящая акула капитализма. Интересно, есть ли там у него на яхте рояль?

В начале девяностых годов, когда все на свете думали, что страна Бразилия никак в обозримом будущем не сможет погасить своего внешнего долга, Кеннет Дарт стал скупать долги Бразилии. Он купил 6%. За 375 миллионов долларов он купил бразильских долгов на сумму 1,4 миллиарда, поскольку бразильские долги тогда продавались за бесценок. В скором времени кредиторы Бразилии, под давлением ли антиглобалистов, с политическими ли целями или просто по доброте душевной, решили бразильский долг реструктурировать, то есть простить Бразилии большую часть ее внешнего долга.

Однако же за реструктуризацию по закону должны были проголосовать все кредиторы Бразилии. Но кредитор Кеннет Дарт, держатель 6% бразильских векселей прощать долги Бразилии отказался. Бедная Бразилия! У нее по внешним долгам процентов каждый год набегало чуть ли не больше, чем должна она была Кеннету Дарту. Начались суды и переговоры, и хитрости всякие, и очернительные статьи в прессе. Говорят, в Бразилии даже взрывали офис Дарта. Но пришлось Бразилии Дарту заплатить, чтоб все остальные ее кредиторы могли простить бразильские долги. С Дартом, конечно, поторговались. Вместо 1,4 миллиарда он получил 980 миллионов. Прибыль его составила 605 миллионов — почти вдвое против той суммы, которую он потратил на приобретение бразильских долгов.

Если посмотреть газеты, то найдешь, что в 1991 году Дарт купил акций Federal Home Loan Mortage на 300 миллионов долларов, и прибыли получил 333%. А в 1995 году Дарт вложил 269 миллионов долларов в Salomon Inc. и получил 186% прибыли.

Еще в 1995 году Кеннет Дарт стал скупать небольшие пакеты акций российских нефтяных компаний. «Ноябрьскнефтегаз», «Юганскнефтегаз», «Томскнефть» — всякий раз компания Dart Management через дочерние свои фирмы вроде компании Acirota покупала чуть больше десяти процентов акций, чтобы иметь по российским законам право созывать собрания акционеров.

Десять лет спустя, отнимая у Ходорковского ЮКОС, государство будет действовать не так, как действовал Дарт против Ходорковского, а, скорее, как Ходорковский против Дарта, но вдобавок еще и грубо, на каждом шагу применяя тупую, но необоримую свою силу, разоряя походя акционеров компании и просто страну. А Дарт в 1999 году играл. Надо признать, играл против Ходорковского изобретательно и даже красиво. Играл, вероятнее всего, исключительно ради прибыли для одного себя, но не без пользы для акционеров ЮКОСа и для страны. И даже не без пользы для самого Ходорковского.

Два года Дарт ничего не предпринимал. Но в 1997-м, когда российский фондовый рынок стал расти и Михаил Ходорковский стал отстраивать ЮКОС, заставляя своих акционеров обменивать акции входивших в ЮКОС компаний на единую акцию ЮКОСа, Дарт через своего московского представителя впервые обратился к Ходорковскому с предложением выкупить у него, у Дарта, акции «Томскнефти». Рассказывают, будто Ходорковский предлагал тогда Дарту продать акции «Томскнефти» на 500% дороже их рыночной цены, но Дарт отказался, полагая, что можно получить с Ходорковского больше.

Одним словом, в цене они не сошлись. Началась кампания в прессе. Ходорковского обвиняли, что он, дескать, консолидирует ЮКОС железной рукой и не щадит миноритарных акционеров, которые разоряются от того, что Ходорковский заставляет их обменивать акции своих предприятий на единую акцию ЮКОСа по курсу, который диктует Ходорковский. Еще Ходорковского обвиняли в том, например, что в феврале 1998 года руководство ЮКОСа на заочном собрании акционеров (то есть созвонились друг с другом по телефону) приняло решение взять большой кредит, и тем на несколько лет вперед лишило миноритарных акционеров прибылей, не спросив, хотят ли миноритарные акционеры лишиться прибылей сейчас ради будущих гипотетических доходов.

Ходорковский поначалу явно проигрывал пиаровскую войну Дарту. Дарту сочувствовали все включая либералов и реформаторов из правительства. Возможно, Ходорковский проигрывал потому, что пиар-служба ЮКОСа досталась Ходорковскому от прежнего руководства, и сама была недовольна нововведениями в компании. До увольнения пиар-службы руки у Ходорковского дошли только в 1998 году. А сейчас, в 2005 году, бывшие пиарщики Ходорковского, уволенные за то, что проиграли газетную войну Дарту, свидетельствуют против Ходорковского в телевизионных эфирах и тем мстят, как мстит раненному льву обиженная когда-то собачонка.

С другой стороны, многих миноритарных акционеров ЮКОСа в 2005 году я прошу поговорить со мной и рассказать, как Ходорковский, отстраивая компанию, обижал их, но они все отказываются. Не успеваю я обрадоваться, что вот ведь есть же люди, отказывающиеся свидетельствовать против поверженного врага, как тут же бывшие миноритарные акционеры мотивируют отказ тем, что не видят смысла, не понимают, зачем бы это им сейчас рассказывать правду. С середины девяностых они привыкли использовать журналистов только чтоб бороться за прибыли при помощи создания общественного мнения. И я не могу убедить их, что правду надо рассказывать, чтоб жить в нормальной стране.

В августе 1998-го грянул кризис. Надо полагать, что сразу после кризиса Дарту легко было бы захватить компанию ЮКОС. Но Дарт несколько месяцев ничего не предпринимал. То ли цены на нефть были слишком низкие, и игра не стоила свеч. То ли не успел просто Дарт так быстро на кризис отреагировать. То ли не верил, что Россия из кризиса выберется, а Ходорковский вытащит из кризиса компанию. А может быть, есть у Дарта свои какие-то представления о благородстве, запрещающие атаковать компанию, когда генеральный директор ее днюет и ночует в офисе, разруливая проблемы вроде, где достать трос для затерянной в болотах под Нефтеюганском буровой. Может быть, Кеннет Дарт не бьет лежачих, тогда учитесь у него, все те деятели науки и культуры, которые подписали против Ходорковского открытое письмо, когда Ходорковский был уже осужден на девять лет тюрьмы. Акула капитализма, казалось бы, а про благородство понимает больше некоторых деятелей науки и культуры.

Вторую свою атаку на ЮКОС Дарт предпринял осенью 1998 года, когда ЮКОС от кризиса уже оправлялся. И, еще раз говорю, атака была хоть и циничной, но красивой. Компания Birkenholz, принадлежавшая бывшим руководителям только что приобретенной Ходорковским Восточной нефтяной компании и заключившая союз с Дартом, подала в Московский арбитражный суд иск к ВНК, требуя выплатить причитающийся компании Birkenholz 21 миллион долларов по договору о покупке акций Ачинского нефтеперерабатывающего завода. Юристы ЮКОСа бросились спасать 21 миллион долларов, но деньги эти были только приманкой, наживкой, на которую Ходорковский клюнул.

В те времена бизнес в России делался еще просто. Российские предприниматели и российские юристы непривычны были к многоходовым комбинациям, красоту которых только сейчас научились ценить, а научившись, ценят превыше всего и весь смысл бизнеса и весь драйв от бизнеса видят не в создании материальных ценностей, а в выдумывании красивых разводок.

Юристы ЮКОСа усиленно спасали в арбитражном суде 21 миллион долларов Ачинского нефтеперерабатывающего завода, и спасли, и почти уже праздновали победу. Но, увлекшись спасением этих денег, юристы ЮКОСа не оспорили вовремя арест акций ЮКОСа. Важно было, какую именно собственность ЮКОСа арбитраж на время разбирательства и в обеспечение иска арестовал по просьбе юристов компании Birkenholz. Важно было, что суд арестовал именно акции.

Во-первых, компания Birkenholz не имела права советовать арбитражным судьям, какую именно собственность ЮКОСа арестовывать, но Birkenholz советовала, и юристы ЮКОСа не смогли эффективно протестовать против этого. Во-вторых, логично было бы арестовать нефть в хранилищах Восточной нефтяной компании, потому что сырую нефть легче всего превратить в деньги, если выяснилось бы в арбитраже, что ЮКОС таки должен денег компании Birkenholz. В-третьих, можно было бы арестовать акции Ачинского нефтеперерабатывающего завода, раз уж иск касается Ачинского нефтеперерабатывающего завода. Однако же компания Birkenholz просила судей арестовать принадлежавшие ЮКОСу акции компании «Томскнефть», которая была частью Восточной нефтяной компании, к которой предъявлялся иск. Не слишком очевидное решение, но суд не возражал, и юристы ЮКОСа не возражали, предвкушая победу, и Ходорковский не возражал, довольный, вероятно, что арестовали лежавшие мертвым грузом акции, а не сырую нефть в хранилищах, и можно, значит, на время суда не останавливать бизнес.

Как только юкосовские акции «Томскнефти» были арестованы, Кеннет Дарт и думать забыл про 21 миллион Ачинского завода, оставив своих союзников из компании Birkenholz проигрывать это дело в одиночку. Зато совершенно никакого отношения не имевшая к Ачинскому заводу принадлежавшая Дарту компания Acirota созвала собрание акционеров компании «Томскнефть».

Acirota владела 13% акций «Томскнефти» и имела право созывать собрания акционеров. Больше ничего компания Acirota не могла поделать с компанией «Томскнефть», пока не арестованы были принадлежавшие ЮКОСу акции «Томскнефти». Но как только акции ЮКОСа оказались арестованы, крупнейшими акционерами «Томскнефти» стали Кеннет Дарт через свою компанию Acirota (13% акций) и государство (34% акций).

Кеннету Дарту оставалось только договориться с государством, чтоб лишить Ходорковского контроля над компанией «Томскнефть». И с государством Кеннету Дарту договориться было легко: вице-губернатором Томской области работал тогда некий Гурам Авалишвили, бывший член совета директоров Восточной нефтяной компании, которого Ходорковский вывел из совета директоров, купив Восточную нефтяную компанию и посадив в совет директоров своих людей. Так что государство в лице Гурама Авалишвили и Кеннет Дарт в лице компании Acirota были заодно.

В повестке дня собрания акционеров «Томскнефти», созванного Кеннетом Дартом, значилось:

• переизбрание совета директоров;

• внесение изменений в устав «Томскнефти», причем предлагаемые изменения значительно ослабляли позиции владельца контрольного пакета акций, то бишь Ходорковского;

• расторжение соглашения о введении внешнего управления НК «ЮКОС» в компании «Томскнефть».

Одним словом, мелкий акционер, владелец 13% акций отбирал у Ходорковского недавно купленную компанию «Томскнефть», а Ходорковский ничего не мог поделать, поскольку его акции «Томскнефти» арестованы были в обеспечение незначительного иска ценою в 21 миллион долларов.

И нетрудно ведь было Ходорковскому посмотреть, что 10-процентные пакеты акций принадлежат Кеннету Дарту не только в компании «Томскнефть», но и в «Юганске», например. Весь придуманный Ходорковским план консолидации ЮКОСа рушился из-за хитроумного американского парня, живущего на бронированной яхте где-то посреди мирового океана.

ЮКОС начал бешеную пиар-кампанию против Кеннета Дарта. Журналистам деловых изданий каждый день сливали из ЮКОСа информацию о том, что Кеннет Дарт, дескать, ограбил собственного брата, обманом унаследовав компанию отца целиком, а не пополам с братом. Писали, что Кеннет Дарт на своей бронированной яхте таранит, дескать, в мировом океане корабли. Писали, что Кеннет Дарт боится женщин, и только два раза вступал в интимные отношения с женой, раз уж у него есть двое детей, а теперь жену бросил. Писали, что Кеннет Дарт — спекулянт, разорявший компании и целые страны.

Писалось много неприятных и грязных про Кеннета Дарта подробностей, но подробности эти нисколько не проясняли главного вопроса: действительно ли, консолидируя ЮКОС, Ходорковский пренебрегает интересами миноритарных акционеров? Действительно ли миноритарным акционерам не выгодно обменивать акции своих компаний на единую акцию ЮКОСа по навязываемому Ходорковским курсу? Прав ли миноритарный акционер Кеннет Дарт, не желая подчиняться владельцу контрольного пакета акций Ходорковскому и пытаясь ограничить власть Ходорковского в компании?

Российские газеты писали, что власти Соединенных Штатов Америки ненавидят бывшего своего гражданина Кеннета Дарта и мечтают как-нибудь поймать его на финансовых махинациях. Может быть, так оно и было. Однако же когда начался конфликт Дарта с Ходорковским, власти Соединенных Штатов наложили арест на имущество ЮКОСа в США, арестовали в порту танкер на том основании, что Дарт, может быть, и мерзавец, но действующий в рамках закона, а Ходорковский, может быть, и молодец, но нарушает права миноритарных акционеров в своей компании, тогда как закон запрещает нарушать права миноритарных акционеров. Говорили еще, будто Соединенные Штаты лишили Ходорковского американской визы. Но это были только слухи, и возможно, выдуманные пиарщиками Дарта.

Кеннет Дарт тоже, со своей стороны, начал бешеную пиар-кампанию против ЮКОСа. Томские государственные чиновники чуть не каждый день надрывались в эфире местного и даже центрального телевидения, что нефть, дескать, должна принадлежать народу, и пусть, дескать, ЮКОС вернет томскую нефть томичам. На ЮКОС и на Ходорковского лично тоже немало было вылито грязи. И тоже не было дано ответа на главный вопрос: каким образом выиграют томичи, если компанией «Томскнефть» станет руководить не Михаил Ходорковский, а Кеннет Дарт или Гурам Авалишвили? Никто не посчитал и не разъяснил народу, больше ли налогов будет платить в бюджет «Томскнефть», если станет частью ЮКОСа, или заплатит больше, частью ЮКОСа не будучи. Орали только в телевизоре про народ и природные богатства. А народ стараниями журналистов так и не научался считать свою выгоду, так и продолжал верить грязи и лозунгам. Так и до сих пор ведь верит.

В январе 1999-го сотрудники Кеннета Дарта в Томске собрали всех наимельчайших акционеров «Томскнефти» и повезли акционеров в Москву на собрание, долженствовавшее лишить Ходорковского контроля над компанией. Акционеры эти были простые люди, случайно умудрившиеся не вложить свой ваучер в МММ, а вложить в «Томскнефть». Их пакеты акций были столь малы, что дивидендов не хватало даже доехать до Москвы. Так вот сотрудники Дарта зафрахтовали для них самолет и повезли в Москву, как стадо, выкрикивать лозунги, что нефть, дескать, должна принадлежать народу. Собрание акционеров должно было происходить в Москве в доме культуры на улице Щипок.

Сотрудники Ходорковского чуть ли не за день до собрания акционеров умудрились вывести юкосовские акции «Томскнефти» из-под ареста. Они оформили дело так, что постановление суда об аресте акций «Томскнефти» оказалось вынесено, но фактически акции не были арестованы: бог знает, каких усилий стоила ЮКОСу эта медлительность судебных исполнителей. На собрании выяснилось, что контрольным пакетом акций здесь обладает не государство и не компания Acirota, а все же ЮКОС. Сторонники Дарта кричали, что ЮКОС, дескать, вывел свои акции из-под ареста незаконно, что дали, дескать, взятку суду или надавили на суд.

Они встали, покинули ими же созданное собрание акционеров и перешли в другой дом культуры неподалеку. Получалось, что одновременно в Москве происходит два собрания акционеров компании «Томскнефть», и каждое считает себя единственно легитимным.

Сторонники Ходорковского на своем собрании приняли выгодный Ходорковскому устав и избрали выгодный Ходорковскому совет директоров. Сторонники Дарта заседали сумбурно и шумно. В том доме культуры, куда они перешли, неожиданно прорвало канализацию стараниями дружественного ЮКОСу водопроводчика, и сильно воняло дерьмом. (Точно так же сейчас в тюрьме объявляют карантин, чтоб не пускать к Ходорковскому адвокатов.) Время от времени ломились в дом культуры какие-то студенты и спрашивали, будет ли здесь дискотека. Студенты то ли не знали, что дискотеку в этом доме культуры объявила пиар-служба ЮКОСа, то ли вообще нарочно были наняты пиар-службой ЮКОСа ломиться на дискотеку. (Точно так же сейчас наняты студенты пикетировать суд и требовать наказания для Ходорковского.) Время от времени посреди альтернативного этого собрания брал слово некий индус. Индус плохо говорил по-русски. С трудом подбирая слова, он то и дело предлагал собранию немедленно перестать заниматься выборами руководства и внесением изменений в устав, а заняться то ли спортивной школой какой-то, то ли волейбольной площадкой. Никто не понимал, что индус несет, ему затыкали рот, а он вставал снова и снова плел про волейбольную площадку. Индуса этого тоже нарочно наняла пиар-служба ЮКОСа, чтоб индус изо всех сил срывал собрание акционеров сторонников Дарта.

Журналисты хохотали. В конце концов, когда дартовскому собранию акционеров удалось все же выбрать свой совет директоров и компания «Томскнефть» обрела два совета директоров одновременно, никто уже не относился всерьез к тому руководству, которое поддерживало Дарта. Все хохотали или плевались.

Я пишу Ходорковскому в тюрьму:

«Михаил Борисович, разве против Кеннета Дарта не такой же черный пиар применял ЮКОС, какой теперь власть применяет против Вас и ЮКОСа? Разве нет? Разве не так же против Кеннета Дарта пользовались Вы зависимыми от Вас судьями, как власть сейчас пользуется зависимыми от нее судьями против Вас? Как бы Вы сейчас поступили с Дартом, вот что я хочу понять».

Таких анекдотичных собраний акционеров, как это на Щипке, было еще множество. И очернительных статей против Дарта тоже было еще множество в газетах. И поспешных решений суда в пользу ЮКОСа было хоть отбавляй. Кеннета Дарта в России считали клоуном. Михаила Ходорковского на Западе считали тираном, угнетающим миноритарных акционеров. ЮКОС на Западе считали шайкой русских нефтяных бандитов.

Потом вдруг все прекратилось. Неожиданно Ходорковский договорился с Дартом, заплатил Дарту отступные, выкупил у Дарта акции ЮКОСа значительно выше тогдашней рыночной цены, продолжил строить ЮКОС и никому ничего не объяснил. Это был неожиданный поворот событий. Может быть, у Ходорковского и впрямь «лопнула скорлупа»? Может быть, трещина расширялась?

Ходорковский пишет мне из тюрьмы:

«Никто с Дартом через PR не воевал, мы исключительно защищались. Что ему наш PR? Он жил на яхте на Карибах...

(Я читаю и усмехаюсь: да? А про яхту на Карибах не от собственных ли пиарщиков вы узнали, Михаил Борисович?)

...Воевали с ним в судах по всему миру. Редкий случай, когда могу сказать — другого пути не было, любая наша уступка, пока он не разбил себе лоб о суды по всему миру, привела бы не к соглашению, а к увеличению требований.
Это его специальность: легальный шантаж, он так „прошел" десятки компаний и даже целых стран.
Конечно и мы, поскольку не верили судам, по российской традиции страховались через российской законодательное беззаконие. То, что сделали сейчас с ЮКОСом. За что так Россия сейчас поплатилась репутацией. Вот это было зря».

Я читаю и думаю: не потому ли Ходорковский сидит в тюрьме, что долго не понимал, насколько нам всем необходимо независимое правосудие? Не для того ли сидит, чтоб все мы это поняли? Не он первым в России стал коррумпировать судей, но и он коррумпировал, плевал в колодец, и коррумпированные судьи теперь судят его. Он пишет:

«...Вот это было зря. Исправлять пришлось и начал с соглашения с Дартом. Договорились мы к взаимно-

му удовлетворению, так как мы согласились, что сделка честная, и больше друг друга не атаковали.
Если бы это было сейчас на моем сегодняшнем уровне понимания западного правосудия, я бы сразу Дарту предложил международный арбитраж.
Если бы он отказался (как он делал обычно) ЮКОС не
терял бы репутацию, если бы согласился — решение
было бы честным».

Я держу в руках листок и думаю: на месте президента,
начиная дело ЮКОСа, я бы сразу предложил Ходорковскому международный арбитраж. Если б Ходорковский
отказался, Россия не теряла бы репутацию, если б согласился — решение было бы честным. Но не может президент: он так понимает суверенитет, что нельзя ему пустить посторонних судей смотреть, как у себя в стране
власть разбирается с гражданами. А до 1998 года Михаил Ходорковский так же понимал права собственности.
А я, гражданин и собственник, хотел бы, чтоб всякий раз
следили за расправой надо мною посторонние судьи.

В 1999 году после выхода из кризиса и после оконча-
ния войны с Кеннетом Дартом состоялось, говорят,
в ЮКОСе секретное заседание. Самому узкому кругу
своих соратников и акционеров предлагал, говорят,
Ходорковский сделать компанию открытой, прозрачной, отчитывающейся по западным бухгалтерским
нормам и выставляющей свои акции в свободную продажу на бирже. Может быть, и не заседание это было,
а просто прогуливались акционеры по дорожкам поселка Яблоневый сад, благо жили бок о бок. И рассказывают, будто некоторые из акционеров говорили:
«Что ты, Миша, открытую и прозрачную компанию давай мы лучше делать не будем». Но Ходорковский на-
стоял. А теперь пишет мне из тюрьмы:

«Я поверил в то, что правила игры можно изменить не
вообще когда-то, а сейчас. Что интересно — стоимость
компании от этого выросла».

Я спрашиваю Инну Ходорковскую, как же она живет в мертвом поселке Яблоневый сад. Инна говорит:
— Привыкла.

В двух шагах Жуковка. В двух шагах ни одного свободного места нет на стоянке перед шопинг-моллом «Жуковка-плаза», и заняты все места в трех деревенских ресторанах, и сплошным потоком едут по Рублевке автомобили, каждый по цене гонорара, полученного Чубайсом за ненаписанную книгу о приватизации.

А Яблоневый сад стоит темный. Только в двух домах загораются по вечерам окна. В доме Лебедева и в доме Ходорковского, который поверил, что правила игры можно изменить не вообще когда-то, а прямо сейчас.

ГЛАВА 7

[ОТКРЫТАЯ РОССИЯ

«Мама, не надо залезать на дерево,— сказал Ходорковский.— Это ужасно увидеть, что мама твоя залезла на дерево, а потом целый день думать, сумела ли мама с дерева слезть».

Мы прогуливаемся с Мариной Филипповной Ходорковской по территории лицея-интерната «Коралово», и Марина Филипповна рассказывает мне, что когда шло следствие, молодые сотрудники ЮКОСа к тому времени, как Ходорковского привозили на допросы, забирались на деревья возле здания прокуратуры и, пока Ходорковского выводили из грузовика с решетками, кричали Ходорковскому слова поддержки. Во время одного из свиданий с сыном в тюрьме Марина Филипповна сказала: «Я тоже завтра залезу на дерево». «Мама, не надо залезать на дерево»,— сказал Ходорковский.

— А мама,— говорит Марина Филипповна,— очень даже может пока еще, слава богу, залезть на дерево, и слезть с дерева тоже может сама. Когда эти коттеджи строились, рабочие покрыли крышу и говорят мне: «Ну вы, конечно, не полезете смотреть?», а я говорю: «Ну конечно, я полезу».

Марина Филипповна показывает мне коттеджи, в которых живут дети. Линолеумный пол, простая мебель, по два человека в комнате, душ в конце коридора — не дворец, в общем, если не сравнивать с государственными детскими домами. Но у каждого ребенка в комнате есть письменный стол, и над каждым столом — розетка для выхода в интернет. И еще розетки для выхода в интернет есть в общей комнате, где ребята делают уроки, и в школе в каждом классе. И у каждого ребенка в интернате есть собственный ноутбук. Потому что году в двухтысячном Михаил Ходорковский сошел с ума и решил детям в России дать современное образование.

«Всем детям?» — спросим мы восторженно. Нет, разумеется, не всем. Разумеется, Ходорковский понимал, что ему не хватит денег дать хорошее образование всем детям от Калининграда до Владивостока. Разумеется, только тем, кому повезет, и кто сумеет воспользоваться шансом. Разумеется, созданный Ходорковским благотворительный фонд «Открытая Россия» мог провести интернет, установить модульные библиотеки и обучить учителей обращаться с компьютерами только в 2–3% российских школ. Мог дать образование только 2–3% детей, но этого, по мнению Ходорковского, достаточно было бы, чтобы вырастить в России новое свободное и образованное поколение.

Ходорковский говорил тогда в одной из своих публичных лекций: «Мы считаем, что наш менталитет, менталитет взрослых изменить трудно. А вот если работа с молодежью будет удачной, то через 15–20 лет они, родившиеся в новой России, станут определять политику страны, и тогда наша страна будет нормальной. Тогда капитализация наших компаний не будет гораздо меньше, чем на Западе, пенсии не будут меньше. У нас все будет нормально».

Марина Филипповна Ходорковская показывает мне школу. Там в фойе выставка. На стеклянных стендах — макеты буровых вышек, фотографии про то, как дети из интерната ездили на экскурсии в Нефтеюганск, и еще там стоит трогательная стеклянная бутылка с черной жидкостью внутри, и на бутылке написано: «Нефть». Марина Филипповна говорит:

— Дело же не в том, чтоб детский дом был хороший. Ну детский дом хороший, а потом что? Вот дети из детских домов, они же не поступают в институты никогда. А у нас поступают все. Вот они же пока учатся, не могут жить на одну стипендию. И Миша им помогал. Дети получали образование, и их ждала работа в ЮКОСе, если они сами не найдут себе что-нибудь другое. А теперь Миша в тюрьме, и что их ждет?

Отобрав у Ходорковского компанию, государство не приняло на себя обязательств, которые имела частная компания перед живущими в интернате «Коралово» сиротами, чьи родители погибли в горячих точках, сражаясь за государство. Заведующий интернатом отец Ходорковского Борис Моисеевич говорит:

— Мы с Мишкой решили, что пока деньги есть, будем тянуть. Пока штаны на мне есть, буду тянуть этих детей, а когда уж штанов у меня не будет, тогда...

Марина Филипповна показывает мне школу: бассейн, спортивный зал, медицинские кабинеты, где можно делать детям физиотерапию и можно исправлять осанку. Стоматологический кабинет, куда время от времени приезжает врач из Москвы и всем детям по очереди лечит зубы. Специальная соляная комната, где надо сидеть и дышать, восстанавливая легкие, детям, приехавшим из регионов с неблагоприятной экологией. Слишком жирно, конечно, для детского дома. Наши государственники правильно ведь подсчитали, что не надо детям никаких таких соляных комнат и подключенных к интернету компьютеров. И высшего образования не надо, а надо вырасти неучем, пить горькую, голосовать за кого скажет телевизор и не задавать вопросов о том, как на самом деле устроены в стране политика и экономика.

Я смотрю распечатку одной из публичных лекций, прочитанных Ходорковским в начале двухтысячных годов. Ходорковский говорил тогда:

«Экономический рост России зависит от ее интеллектуального потенциала. Сырьевые отрасли у нас в стране имеют ограниченный потенциал роста. Не потому, что у нас мало запасов, запасов много, минеральных ресурсов тьма, нефти завались, газа еще больше, но все это никому не нужно. Как бы мы ни пыхтели, продать нефти принципиально больше, чем мы продаем сейчас,— некому. Современный мир — это мир информационных технологий. Это мир, где покупают и продают продукты интеллектуального труда.
В нашем населении 2,5–4 миллиона человек являются активной движущей силой общества — это ученые и предприниматели, так сказать, интеллектуальная элита. Это люди, которые у нас и на Западе зарабатывают больше 100 тысяч долларов на человека в год.

Значит, интеллектуальных ценностей каждый из этих людей создает не меньше, чем на 350 тысяч долларов в год. Обращаю внимание: валовой внутренний продукт, который могут давать эти люди, больше чем весь валовой внутренний продукт, который мы можем получить от всех отраслей нашей экономики вместе взятых. И это действительно так.

Задача — воспроизведение высококвалифицированных людей. Что для этого надо?

Во-первых, образование и культивирование идеологии предприимчивости. Просто образование никому не нужно. Просто толковых людей пруд пруди. Ценен только тот человек, который может поставить свой ум на службу промышленности, на службу обществу. Вот этот человек стоит денег».

Стоп! Рублевское шоссе. Жуковка. Ресторан на обочине дороги. В ресторане сидят в основном люди, зарабатывающие больше 100 тысяч долларов в год. По дороге тоже в основном едут такие люди. Только они не то чтобы ученые, и не то чтобы предприниматели. И мало кто из них поддержал Михаила Ходорковского, когда тот попал в тюрьму.

Мы встречаемся в этом ресторане с адвокатом Антоном Дрелем, и Антон рассказывает мне, как беседовал накануне с Ходорковским в тюрьме. Антон говорит:
— Я сказал Ходорковскому, что народ его не любит, потому, вероятно, что никто не верит, будто можно так быстро разбогатеть честно. Вы как думаете?

Я пожимаю плечами. Я обещаю поразмыслить. Так вот я поразмыслил, Антон. Я считаю, что люди, наоборот, крайне снисходительны к Ходорковскому, крайне сочувственны. В этой своей лекции Ходорковский посчитал достойными и записал в требующую поддержки элиту 4 миллиона человек, чуть более 2% населения. А поддерживают его, согласно социологическим опросам, 7%. Это больше десяти миллионов человек. Подавляющее большинство из них не зарабатывает и никогда не будет зарабатывать 100 тысяч долларов в год. Не могут «поставить свой ум на службу промышленности и обществу». Не «стоят денег». Не ценны, по мнению Ходорковского. Но вот же они стоят у здания суда с плакатами «Ходорковский go home!», и вот же они, в отличие от элиты, сидящей в ресторанах на Рублево-Успенском шоссе, отвечают в социологических опросах, что суд над Ходорковским был неправедным. Их десять миллионов. Из них можно составить большой город.

В той своей публичной лекции Ходорковский говорил про элиту:

«Надо дать этим людям возможность эффективно работать в России. Желание этих людей (элиты.— В. П.) жить в России — принципиальная тема. За человеком, который легко зарабатывает 100 тысяч долларов в год, идет охота по всему миру. Все фирмы всего мира охотятся за такими людьми. И неважно, кто он по национальности: русский, индус, китаец. Безразлично. Для того чтобы такие люди хотели жить в России, им нужна демократия. Они хотят чувствовать себя независимыми, они хотят чувствовать себя защищенными».

А я вот думаю, что ради своих 100 тысяч долларов в год эти люди готовы пожертвовать демократией и даже готовы пожертвовать защищенностью.

Ходорковский далее говорит:

«Я считаю, что наша правоохранительная система, создавая ощущение неуверенности и незащищенности у молодежи и предпринимателей, наносит огромный ущерб нашей стране. Государственная идеология, которая господствует в нашей правоохранительной системе, приводит к тому, что люди уезжают. Вы легко можете посчитать, сколько, собственно говоря, такой человек за всю жизнь мог бы заработать. И сколько страна могла бы заработать, если бы этот

человек работал здесь. Так вот: если уезжает двадца-
типятилетний человек у нас из страны, потому что ему
нахамил гаишник или положил носом в пол налоговый полицейский, страна потеряла 3 миллиона долларов. Сразу. Выкинули. 100 тысяч таких людей уезжает из России каждый год».

Элита уезжает, а на демонстрацию к Соловецко-
му камню против приговора Ходорковскому, против
судебного произвола, за демократию и справедливость выходят те, кому некуда уезжать, кому никто ни
в Америке, ни в Европе не предлагает 100 тысяч долларов в год. Люди, которые не стоят денег. Просто люди. И я считаю, что, задумывая свою «Открытую Россию», Ходорковский забыл о них, а они его простили
и теперь стоят за него в пикетах.

Сейчас, когда от компании ЮКОС остались в основном долги, Ирина Ясина, журналистка, возглавляющая
несколько проектов в благотворительной организации
«Открытая Россия», устроенной Ходорковским, чтоб
финансировать образование, говорит:
— У него не было поначалу никаких особых гуманитар-
ных соображений. Он просто посчитал деньги. Он сделал правильные выводы из дефолта и истории с Дартом, когда его «чморили» в западной прессе.

Ясина продолжает:
— Он просто решил, что выгодно сделать открытую
и прозрачную компанию. Сделал, и капитализация
компании стала расти. А потом в конце 2000 года он
просто решил, что выгодно общество тоже сделать открытым, как компанию.

Все в той же лекции начала двухтысячных годов читаем у Ходорковского:

«Когда говоришь с моими сверстниками или людьми
чуть старше, синонимом правильного часто является
слово „Государственное". „Государственная позиция", „Государственный подход", „Интересы государ-

ства". На самом деле в такой логике причины перепутаны со следствием. Государство было создано людьми, для того чтобы служить интересам людей. И когда мы с вами говорим, что мы должны служить интересам государства, получается, что мы должны служить некому идолу, которого сами себе и создали.

На самом деле все наоборот. Человек должен служить: во-первых, самому себе, своей семье, во-вторых, обществу. А государство должно служить человеку. И вот для того чтобы эти ценности стали естественны для молодежи, надо проделать много работы, и собственно этой работой мы и занимаемся в рамках „Открытой России"».

Рублевское шоссе. Жуковка. Мимо нас по шоссе едут люди, которые служат в первую очередь себе. Вряд ли они едут на пикет против судебного произвола. Вряд ли они не боятся государства, которое сами же и создали. Передайте, Антон, Ходорковскому, что человек становится независимым не потому, что ему созданы для независимости условия, а вопреки отсутствию условий для независимости.

Я искренне полагаю, что созданная Ходорковским общественная организация «Открытая Россия» на каком-то этапе вышла у Ходорковского из-под контроля. Более того, я думаю «Открытая Россия» влияла на самого Ходорковского сильнее, чем Ходорковский влиял на «Открытую Россию» или посредством «Открытой России» — на страну. Сам я из всех проектов, финансировавшихся «Открытой Россией», участвовал только в одном: время от времени я преподавал в школе журналистики «Интерньюс». Одна из руководительниц этой школы обозреватель радио «Свобода» Анна Качкаева рассказывает, будто сотрудничество школы «Интерньюс» с Ходорковским началось с того, что школа «Интерньюс» отказалась взять у Ходорковского деньги. То есть это такой весьма распространенный способ просить деньги, когда пишешь заявку на грант, но сам же и ставишь условия грантодателю.

— Так вам надо денег или не надо? — недоумевал Ходорковский.

— Мы учим региональных журналистов, у нас хорошие связи с региональными телеканалами, и рано или поздно ЮКОСу понадобится использовать наши связи в каких-нибудь своих корпоративных целях.

Качкаева говорит, что Ходорковский тогда поклялся не использовать «Интерньюс» в корпоративных целях ЮКОСа. Дал школе денег, а спустя два года на собрании «Открытой России» подошел к Качкаевой и сказал:

— Ну что? За два года хоть раз мы использовали вас в своих шкурных интересах?

— Не использовали ни разу. Молодцы,— признала Качкаева.

Мы разговариваем в школе «Интерньюс» на офисной кухне. Кофе из пластиковых стаканчиков. На стене — портрет Ходорковского. В бухгалтерии ищет нарушения вечная налоговая проверка. Когда Ходорковский был на свободе, портрета здесь не висело, налоговых проверок не бывало. Двадцать шестого июня 2005 года Качкаева ездила к родителям Ходорковского отмечать день рождения их заключенного сына. Пока Ходорковский был на свободе — не ездила, в отличие от элиты, зарабатывающей больше 100 тысяч долларов в год: те ездили до ареста, а сейчас перестали.

В школе «Интерньюс» учат региональных журналистов. Из местных телекомпаний, которые в силу своей непрофессиональности не могут конкурировать с центральными телекомпаниями, в Москву присылают молодых репортеров, и здесь в Москве раньше на деньги Ходорковского учили, а теперь на гранты учат их брать интервью, ставят им дикцию и голос, учат монтировать. Телеведущая Максимовская рассказывает, как верстать новостную программу. Главный редактор радио «Эхо Москвы» Венедиктов рассказывает, что не для того нужен главный редактор, чтоб транслировать журналистам распоряжения владельца и властей, а для того, чтоб ограждать журналистов от этих распоряжений. Политолог Сатаров рассказывает, как порядок и вертикаль власти мешают свободному выражению всего спектра мнений, существующих в обществе, и, следовательно, лишают власть легитимности. Телеведущий Познер перебивает студентку, которая кричит:

— Я ненавижу Запад... (Мы снова в кольце врагов? Мы снова сдерживаем их силой оружия, как Ходорковский, когда был комсомольцем, то есть, по его же признанию, дураком, см. главу 2.— В. П.)

— Подождите, милочка,— говорит Познер.— За что ж вы ненавидите Запад? Да бывали ли вы на Западе?

— Не бывала. Но они бомбят Ирак и вообще лезут не в свои дела по всему миру.

— Да знаете ли вы, милочка, что в Британии и Америке против войны в Ираке миллионные демонстрации были, каких ни разу в России не было против войны в Чечне? Знаете ли вы, что Джон Керри в Америке баллотировался на пост президента с требованием прекратить войну в Ираке, и его поддержала почти половина страны, тогда как Владимир Путин, наоборот, поддержал Джорджа Буша?

Вот такие там веселые занятия. А я читаю короткую лекцию о технике репортажа. У меня в классе человек пятнадцать. Ни они, ни я не зарабатываем и никогда не будем зарабатывать 100 тысяч долларов в год. И половины-то не зарабатываем. И, кажется, вообще делаем не совсем то, что замышлял Ходорковский, организовывая «Открытую Россию». Перед началом лекции я спрашиваю: откуда они, как их зовут, зачем они работают журналистами, и существует ли правда.

И вот девушка из маленького города. Она работает журналисткой, потому что ей нравится, что ее показывают по телевизору. А телеканал их принадлежит местному металлургическому комбинату. А правды не существует, правда — настолько субъективная вещь, что вот, например, говорит девушка, директору владеющего их телеканалом металлургического комбината нравится хоккей, поэтому в спортивных новостях их телеканал не рассказывает ни про какие виды спорта, кроме хоккея.

— Даже футбола не существует у нас,— смеется девушка.— А вы спрашиваете, существует ли правда.

А вот юноша из другого маленького города. Он работает журналистом, потому что очень любопытный. У их маленького телеканала заключен с местной властью «договор об информационном сопровождении», то есть мэрия города платит деньги городскому телеканалу, за то, чтоб телеканал освещал деятельность мэрии города,— какая же в этих условиях может быть правда?

Передо мной в классе пятнадцать человек, и ни одного из них не удивляет, что профессия у них — лгать.

— Хорошо, я буду рассказывать вам про журналистику, как если бы правда существовала. Хорошо?

Я беру в руки фломастер, а они слушают меня. Они внимательны то ли потому, что мое имя у них на слуху, то ли потому, что интересно послушать сумасшедшего, который думает, будто правда существует и будто можно ее найти. Я говорю:

— Вот случилось событие, и нам нужно рассказать про это событие историю. С чего мы начнем? Что надо сделать прежде всего?

— Поехать и снять! — кричат они.— Взять интервью у очевидцев. А как мы будем эту новость подавать? Подавать-то мы как-то будем эту новость?

Я говорю:

— Прежде всего надо подумать. Что значит думать?

Молчание. За семьдесят лет советской власти, за пятнадцать лет так называемой демократии люди в нашей стране не только разучились думать, но даже и не знают для этого слова простого словарного определения.

Я говорю:

— Думать — это значит задавать себе вопросы.

Мои слушатели шокированы, они не ждали такой простой и очевидной формулировки. А я им рассказываю, что у репортера, как правило, не бывает особенно-то много времени, чтобы каждый раз подбирать себе новые вопросы для думанья. И поэтому вопросы, которые должен задать репортер, чтоб написать или снять репортаж, заранее определены. Их всего четырнадцать. Какие, спрашиваю?

Каждый год, каждый новый курс все больше стандартных вопросов для репортажа мои впервые приехавшие на школу студенты формулируют сами. Два года назад не могли сформулировать ни одного. Сейчас уже заранее знают пять стандартных вопросов на букву W из западных учебников журналистики:

1. Who? — Кто?

2. What? — Что?

3. When? — Когда?

4. Where? — Где?

5. Why? — Почему?

Остальные девять вопросов я все еще, как правило, подсказываю (формулировки вопросов принадлежат Александру Кабакову, которому, пользуясь случаем, выражаю глубочайшее уважение и благодарность):

6. Каким образом?

7. Зачем?

8. Кому выгодно?

9. Кому не выгодно?

10. Чем выгодно?

11. Чем невыгодно?

12. Кто враги?

13. Кто союзники?

14. Что теперь будет? (Ну и что?)

По классу легкий шепоток. Мои студенты явно взволнованы тем, как привычная ватная бессмысленность событий может быть превращена в увлекательное путешествие за истиной, похожее на американские горки.

— Здорово! Круто! Но это же очень много работы! Но кто же пустит в эфир, например, ответ на вопрос «кому это выгодно»?

— При этом,— говорю,— профессия репортера отличается от профессии писателя тем, что ответы на четырнадцать вопросов вы должны не выудить из своей головы (каковая, к слову сказать, чаще используется репортером, чтоб есть в нее, пить в нее и получать по ней удары дубинкой), но выспросить у участников событий. И история получится, только если в событии есть конфликт. А в каждом конфликте есть, как минимум, две стороны, или три. И опросить надо обе-три.

Студенты смеются. Я продолжаю:

— Давайте для упражнения разберем какое-нибудь недавнее событие. Например...

— Например, Ходорковского посадили,— тянет руку девушка, которой нельзя рассказывать никаких спортивных новостей, кроме хоккейных.

О'кей! Мы со студентами думаем вместе.

1. Кого посадили?

Михаила Ходорковского. Никаких оценок. Просто разные версии включая гипотетические, о том, кто он такой. Гражданин России. Муж, отец, сын. Богач. Возможно, талантливый менеджер. Или, возможно, вор, убийца. Общественный деятель. Возможно, заговорщик.

2. Что с ним случилось?

Его настигло возмездие. Или у него отбирают компанию. Или ему мешают узурпировать власть. Или мешают пошатнуть власть узурпатора.

Думайте, молодые люди, думайте!

3. Когда?

Двадцать пятого октября 2003 года. Или посадка эта началась весной 2003-го и продолжается до сих пор, и будет продолжаться, пока Ходорковский не будет освобожден или убит.

4. Где?

В аэропорту Новосибирска. Или в прокуратуре в Москве. Или в Басманном суде. Или в Кремле.

5. Почему?

Потому что нарушал закон. Или потому что стал слишком большим. Или потому что финансировал оппозицию. Или потому что поссорился с президентом. Или потому что попытался бороться с коррупцией.

6. Каким образом?

В соответствии с законом, говорит прокуратура и суд. В нарушение закона, говорят адвокаты.

7. Зачем?

Чтоб не убежал, говорит прокуратура и суд. Чтоб оказывать давление, говорят адвокаты.

8–9. Кому и чем это выгодно?

Кремлю, потому что богатые предприниматели напугались и построились. Игорю Сечину, потому что обломки ЮКОСа достались компании «Роснефть», а компанией «Роснефть» руководит Игорь Сечин. Роману Абрамовичу, потому что Роман Абрамович получил во время сделки ЮКОС—«Сибнефть» 3 миллиарда долларов и пока не вернул.

10–11. Кому и чем не выгодно?

Роману Абрамовичу, потому что, если бы сделка ЮКОС—«Сибнефть» состоялась, Абрамович стал бы совладельцем одной из четырех крупнейших нефтяных компаний в мире. Предпринимателям, поскольку ухудшился в России инвестиционный климат. Правозащитникам, потому что закрылась куча правозащитных проектов. Школе «Интерньюс», потому что ее не финансирует больше «Открытая Россия». Оппозиции, потому что посажен один из главных ее спонсоров.

— А народу-то разве не выгодно? — спрашивает студентка.

— При чем тут народ? — удивляюсь я.— Вы всерьез думаете, будто государство отобрало ЮКОС у Ходорковского и отдало нам с вами? Или взяло себе?

12. Кто враги?

Как минимум половина администрации президента, может быть, включая самого президента. Все государственные телеканалы.

13. Кто союзники?

Вот это странная история. Адвокаты Ходорковского рассказывают, что поддержать их клиента звонили, например, лидер блока «Родина» Дмитрий Рогозин и лидер Национал-большевистской партии Эдуард Лимонов. А Явлинский не звонил. А Немцов позвонил спустя полтора года. Еще лидер коммунистов Зюганов как бы слегка поддерживает теперь Ходорковского, с тех пор как тот опубликовал статью «Левый поворот».

14. Что теперь будет?

Не знаю. Государство говорит, что Ходорковский отсидит минимум восемь лет, и будут еще предъявлены новые обвинения, и это никак не скажется на жизни страны. Ходорковский говорит, что года через три (то есть в районе следующих президентских выборов) Верховный суд реабилитирует его. Адвокаты говорят, что Ходорковского могут убить в тюрьме, как только общественное мнение забудет о нем.

— Так он виноват или нет? — не выдерживают студенты.

— Это не ко мне вопрос, дети. Это к Глебу Павловскому. Или к Михаилу Леонтьеву. Или к Андрею Караулову. Или к Петру Толстому. Это они знают единственно верные ответы. А мы думаем, спрашиваем, сомневаемся, пытаемся узнать правду. Пытаемся приучить читателя или зрителя своего думать, спрашивать, сомневаться. Он, правда, не приучается, собака.

Вы знаете, что, как правило, делают мои лучшие студенты, когда, окончив школу журналистики, возвращаются в свои маленькие города на свои маленькие телеканалы, принадлежащие металлургическим королям, мэрам, губернаторам и прочей элите, зарабатывающей больше 100 тысяч долларов в год? Они увольняются. Отравленные нашей учебой, они не могут работать, когда из четырнадцати вопросов отвечать разрешают только на три, а из двух сторон конфликта опрашивать разрешают только одну.

Более того, я полагаю, что многие другие программы «Открытой России», долженствовавшие первоначально сформировать элиту, привели вместо этого участников своих к нежеланию быть этой самой элитой.

Например, есть у «Открытой России» проект «Новая цивилизация». Это летние лагеря для детей. Дети живут в палатках, в спартанских, в общем, условиях и играют, будто там у них в лагере — государство. Дети изначально делятся на бизнесменов, безработных и госслужащих, а потом принимаются собирать налоги, нанимать друг друга на работу, выстраивать бизнес, требовать пособий и пенсий, проводить выборы, баллотироваться на должности. И к концу лагерной смены дети начинают понимать, как работает государство, и приезжая домой с горящими глазами рассказывают об этом родителям.

В таком летнем лагере побывала дочь Ходорковского Настя. И в единственном своем интервью, данном газете «Московские новости», Настя рассказывает, что хочет учиться в обычной школе и хочет, чтоб в школе никто из ее товарищей не замечал, что она дочь миллиардера. И Ирина Ясина рассказывает тоже, как отправила дочку в летний лагерь «Новой цивилизации», и как, вернувшись из лагеря, девочка попросила маму перевести ее из элитной московской школы в обычную школу, потому что в элитной школе, дескать, учат ерунде и к ерунде ученики стремятся.

А еще есть у «Открытой России» «Школы публичной политики» во множестве регионов. Там занимаются молодые люди, желающие стать политиками, но не желающие, очевидно, стать элитой, потому что, разобравшись в политике, не могут же они не понимать, что элита у нас куется в рядах движения «Наши», а вовсе не в школах опального Ходорковского.

А еще есть проект «Помоги советом». Это как в книжке «Тимур и его команда». Это когда во множестве регионов сидят у телефона волонтеры и принимают звонки от людей, которым нужна помощь. Звонит, например, тяжело больная женщина, которой привезли из-за границы дорогое лекарство, но у лекарства сложная схема приема, а инструкция на иностранном языке, а языков женщина не знает. И тогда волонтеры проекта «Помоги советом» знакомят больную женщину со студенткой местного филфака, и та в два счета переводит инструкцию по применению лекарства на русский язык. Зачем она это делает? Как это поможет ей стать элитой и заработать 100 тысяч долларов в год?

Еще есть у «Открытой России» проект «Общественный вердикт». Его Ходорковский придумал, когда арестовали Пичугина и Лебедева. Смысл проекта в том, чтоб помогать людям в судах: предоставлять адвоката, отстаивать права. С проектом «Общественный вердикт» вышла смешная история. По менеджерской своей привычке, чтобы найти руководителя этому проекту, Ходорковский нанял хэдхантерскую контору. Хэдхантеры приходили к правозащитникам, начиная с известных, вроде Людмилы Алексеевой и говорили: «Одна крупная компания хочет создать правозащитную организацию. Мы не можем назвать вам компанию, но вы пока напишите нам автобиографию, заполните нам анкету, пройдите с нами собеседование». И что же правозащитники? Стремились ли они работать на крупную компанию, желающую создать правозащитную организацию? Ничуть не бывало. Они отказывались. Они звонили друг другу и спрашивали: «К вам тоже приходило КГБ?» Когда это случилось, Михаил Ходорковский, всегда охотно принимавший работать в ЮКОС бывших офицеров КГБ и считавший их хорошими организаторами, узнал вдруг, что есть люди, для которых работать в КГБ стыдно. Да КГБ у нас — разве же не элита? Разве не почетно у нас работать на КГБ? Нет! Не хотят! Боятся! Брезгуют!

А один из руководителей «Открытой России» (бывший офицер ГРУ), курирующий проект «Новая цивилизация» депутат Анатолий Ермолин, разве не вышел демонстративно из партии «Единая Россия», когда отменили выборы губернаторов. Куда? Это же элита! Нет! Вышел! Гордый!

А сам Михаил Ходорковский разве не пишет из тюрьмы в письме своем «Собственность и свобода»:

«Они (элита.— В. П.) хотят засадить меня поглубже, лет на пять или больше, потому что боятся, что я буду им мстить. Эти простодушные люди (элита.— В. П.) пытаются судить обо всех по себе. Успокойтесь: графом Монте-Кристо (впрочем, как и управдомом) я становиться не собираюсь. Дышать весенним воздухом, играть с детьми, которые будут учиться в обычной московской школе, читать умные книги — все это куда важнее, правильнее и приятнее, чем делить собственность и сводить счеты с собственным прошлым».

Так он пишет. Может быть, я наивен, но мне, человеку, ни к какой элите не относящемуся, приятно думать, будто после дефолта и Дарта, затеявшись из прагматических и чисто экономических соображений со своей «Открытой Россией», Ходорковский в четыре года дошел до простой мысли: в свободной, открытой, демократической или, как выражается Ходорковский, нормальной стране — нет человеку никакой нужды быть частью элиты. Это даже постыдно немного быть частью элиты в свободной и открытой стране. Во всяком случае, не очень приятно.

Другое дело, что элита — как мафия. Войти в ее ряды трудно, но можно. Выйти из ее рядов — нельзя. Ты перстень целовал.

ГЛАВА 8

СЧИТАЕТСЯ
ПОБЕГ

Этот способ говорить, который я называю публичной лекцией, сам Ходорковский называл всегда презентацией. Презентация от лекции отличается тем, что сопровождается слайдами, а слайды должны быть наглядны и содержать конкретные и не подлежащие сомнению цифры, диаграммы, графики...

Люди, работавшие с Ходорковским и решавшие с ним производственные вопросы, говорят, что в простой беседе Ходорковский имел обыкновение пропускать логические звенья своих рассуждений, так что трудно бывало его понять. Так, пропуская логические звенья, говорят два типа людей — гении и обманщики. В начале двухтысячных годов Ходорковский то ли перестал быть гением, то ли перестал быть обманщиком, и всякое почти публичное его выступление стало презентацией, а череда заранее подготовленных слайдов помогала Ходорковскому заставить слушателя следить за мыслью.

Он нарочно научился говорить в жанре презентации, как учат в западных бизнес-школах. Он сменил язык, как меняет язык человек, приезжающий жить в другую страну. Может быть, он и впрямь рассчитывал, что от этой смены языка изменится вокруг него страна? Может быть, он действительно думал, что новый его язык вот-вот станет в России государственным? Не знаю, но точно так же в дни Оранжевой революции в Киеве водители на улицах вдруг стали предельно вежливы, принялись уступать друг другу дорогу и пропускать пешеходов на «зебре» — надеялись, что сегодня прекратят хамить, а завтра станут цивилизованной и европейской страной.

В девяностые годы, когда компания ЮКОС была закрытой, и прибыль ее складывалась из предприимчивости, как мы помним, и доступа к правительственным тайнам, чем туманнее выражался руководитель компании, тем для компании было лучше. Они говорили и продолжают говорить на птичьем языке, эти люди из властной элиты. Поди-ка ты догадайся, если не входишь в элиту, что передел собственности следует называть «приватизацией», войну следует называть «контртеррористической операцией», а диктатуру следует называть «суверенной демократией». Ни за что не догадаешься. А если не догадался, то, стало быть, ты и не элита.

В двухтысячные годы, после того как свободное владение птичьим языком постсоветской элиты не спасло его от дефолта, Ходорковский решил сделать свою компанию открытой и деньги на развитие компании решил получать на фондовом рынке за счет того, что люди покупают акции компании. И ему потребовалось стать внятным на западный манер. Ему потребовалось научиться говорить так, чтобы инвестор, вкладывающий в компанию ЮКОС деньги, понимал, как именно компания ЮКОС собирается эти деньги приумножить.

На рубеже девяностых и двухтысячных годов Ходорковский нанял пиар-компанию Burson & Marsteller, чтоб эта компания научила ЮКОС быть открытым и прозрачным, а его, Ходорковского, научила быть внятным. Потом расторг контракт с Burson & Marsteller, нанял новых штатных пиарщиков. И надо сказать, что то ли новые пиарщики, то ли ребята из Burson & Marsteller неплохо поработали. Внешне, во всяком случае, Ходорковский девяностых и Ходорковский двухтысячных — это два разных человека. Ходорковский девяностых полноват, одутловат лицом, все больше молчит, носит очки в тяжелой оправе, носит усы, и волосы у него не слишком-то аккуратно ложатся на ворот дурно сшитого пиджака. Это восточный или, если хотите, советский тип мужчины — солидный, закрытый и неряшливый.

Ходорковский двухтысячных другой. В это самое время вся российская элита стремится стать частью элиты западной: катается на горных лыжах, покупает яхты, шьет костюмы на Севилл-роу, но и совершает комичные ошибки, самолетами, например, привозя с собой на курорт гулящих девок или за одну ночь выпивая в отеле

весь запас «Шато-Петрюс». А Ходорковский органич-
ней других. Он строен и подтянут, он коротко стрижен,
он не носит усов, очки у него без оправы, он демократи-
чен в одежде, кроме тех случаев, когда протокол требует
пиджака и галстука, он открыт, он легко и охотно разговаривает на любые темы. У него симпатичная жена, наконец: не советская номенклатурная тумба, но и не де-
вушка-аксессуар, на прокат позаимствованная в извест-
ном модельном агентстве. У него маленькие дети. Он
приезжает с семьей в Париж и ведет детей в Лувр. Инна
Ходорковская говорит, что ее мужу не очень интересно
было в Лувре, но повел же все-таки туда детей.

У него — главное! — прозрачная компания. По западным стандартам, прозрачная. Он как никто близок к
тому, чтоб отлепиться от провинциальной российской
элиты и прилепиться к элите мировой. В России он
чувствует свое превосходство.

Вот, например, как один из сотрудников ЮКОСа рассказывает про круглый стол в сибирском городе Т.
с участием губернатора В. К. и депутатов областного за-
конодательного собрания — местной элиты. Ходорковский атакует. У него презентация. Покажите, пожалуйста, слайд. На слайде наглядно изображается, сколько за
отчетный год создала компания ЮКОС в Т-ской области высокооплачиваемых рабочих мест. Это официаль-
ная статистика. И приходится депутатам признать, что
высокооплачиваемых рабочих мест в области стало
больше. А вот налоги (покажите, пожалуйста, следующий слайд), которые заплатил ЮКОС в областной бюджет, больше всех, между прочим. Но надо же прибавить
к налогам и тот мазут, который поставлял ЮКОС по себестоимости зимой, чтоб отапливать северные города.
И надо же прибавить к налогам те 120 миллионов рублей, которые инвестировал ЮКОС в социальную сферу.
Вот, пожалуйста, соответствующий график.

Презентацию свою Ходорковский ведет к тому, чтоб
Т-ские парламентарии перестали публично врать, будто области от ЮКОСа нет никакой пользы. А чиновни-

ки на птичьем своем языке областной элиты просят денег. Для этого они говорят, что деньги нужны им на социальные программы и отопление северных городов.

— Вот мы же и строим вам школы, и отапливаем северные города,— говорит Ходорковский, подкрепляя свои слова слайдом и делая вид, будто не понимает птичьего языка.

Он демонстративно как будто бы не хочет понимать, что деньгами из областного бюджета распоряжались бы чиновники, тогда как мазут, поставляемый ЮКОСом по себестоимости для отопления северных городов, идет ведь на отопление северных городов, черт бы его побрал совсем. Никак ведь нельзя перераспределить мазут из северных городов в карманы чиновников. Это ведь откровенное воровство получится. И не подготовились чиновники. Не владеют языком западной бюрократии. Нет у них своих ответных презентаций со слайдами, чтоб показать, почему жителям северных городов выгоднее иметь деньги в областном бюджете на покупку мазута, чем собственно сам этот мазут в котельных.

А губернатор В. К. улыбается. Ему, похоже, начинает нравиться этот нефтяной магнат из американского фильма с рациональным своим ведением бизнеса. А может быть, губернатору нравится, что и сам он за этим круглым столом становится как бы губернатором из американского фильма.

— Ну хорошо,— не выдерживает один из депутатов, связанный в Т-ске с производством кабеля, не знаю, переводить ли вам его слова с птичьего языка на человеческий.— А почему же вы деньги не инвестируете в Т-скую экономику? Почему заказы не размещаете на местных предприятиях? Почему кабель, например, не покупаете Т-ский?

— Покажите, пожалуйста, следующий слайд,— Ходорковский улыбается.— Мы протестировали продукцию всех предприятий, производящих кабель в Т-ской области и соседних областях.

Черт побери! И тут он подготовился! Из следующего графика видно, что ни один производимый в Т-ской области кабель не дотягивает до стандартов ЮКОСа ни по одному из основных показателей. Недостаточно прочный, недостаточно гибкий на морозе и к тому же слишком дорогой, не потому ли, что в цену кабеля закладывается вознаграждение госчиновникам, которые станут лоббировать покупку этого кабеля крупными компаниями, работающими в регионе.

— Продолжать? — спрашивает Ходорковский.

Наверняка у Ходорковского припасен еще и слайд, наглядно показывающий, какую долю в цене продукции Т-ских предприятий составляет «откат», предназначаемый местным чиновникам, чтоб те продукцию эту продвигали. Поэтому на продолжении никто не настаивает. А Ходорковский говорит:

— Вы посоветуйте вашим производителям подтянуть свой кабель по качеству, тогда мы с удовольствием будем его покупать. Нам же легче не возить через полстраны.

Круглый стол в городе Т. заканчивается дружеским ужином с губернатором. И рассказ о триумфальных презентациях Ходорковского тоже на этом заканчивается, потому что дальше пойдет речь о презентациях, которые приведут Ходорковского в тюрьму.

С 1999 года добыча нефти в России стала расти. Причем в компании ЮКОС, благодаря современным технологиям и американским инженерам, добыча росла вдвое быстрее, чем в среднем по отрасли. Теоретически добычу можно было бы увеличивать бог знает еще насколько, и бог знает сколько еще можно было бы заработать денег. Но это только теоретически.

На самом деле нельзя же добыть нефти больше, чем ты можешь продать. А чтобы продать нефть, надо прокачать ее по нефтепроводам. А нефтепроводы не резиновые: 48 610 километров труб, 336 насосных станций, 849 резервуаров для хранения нефти — все, больше нет.

Можно, конечно, возить еще нефть по железной дороге, но это очень небольшие объемы и это очень дорого.

Девяносто три процента нефтепроводов в России принадлежат компании «Транснефть», а «Транснефть» принадлежит государству. Политически с 1991 года Россия является демократической страной, но экономически — нет. Экономика строится на нефти. С 1995 года государство не является в России нефтяным монополистом, но до сих пор продолжает оставаться монополистом в сфере транспортировки нефти.

На самом деле, не только либералы в 1995 году назначили олигархов, но и до сих пор власть назначает в России нефтяных магнатов, а может из нефтяных магнатов уволить того, кто плохо себя ведет. Может дать квоты на транспортировку нефти, а может отнять квоты. И остается только догадываться, какое бескрайнее поле для коррупции открывается перед правительственными чиновниками, когда речь заходит о распределении квот на транспортировку нефти. И опять же существует птичий язык постановлений и циркуляров, распределяющих квоты.

В 2000 году крупнейшие нефтяные компании ЛУКОЙЛ, ЮКОС, «Сибнефть» и ТНК забыли даже на время о конкурентной борьбе и обратились в правительство с просьбой прояснить принципы распределения квот на транспортировку нефти, сделать эти принципы простыми и прозрачными — чем больше добываешь, тем больше транспортируешь. Однако же правительство с такой простотой и прозрачностью не согласилось, и поручило распределять квоты специальной своей комиссии под руководством Виктора Христенко. Эта комиссия, распределяя квоты, руководствуется «благом народа», «государственным подходом», «заботой о росте экономики» — и мы не знаем, как эти термины переводятся с птичьего языка элиты на человеческий язык.

В это же приблизительно время публичные презентации Ходорковского стали посвящаться Китаю. Все так же сменяли друг друга слайды.

1. Экономика Китая растет. С 1990 по 1999 год потребление нефти в Китае увеличилось на 10%, а добыча нефти — только на 2%.

2. Китай добывает 160 миллионов тонн нефти в год, а потребляет 200 миллионов тонн. 40 миллионов тонн нефти Китай вынужден импортировать.

3. К 2010 году Китай будет импортировать уже 90 миллионов тонн нефти в год.

4. Поставщиками Китая являются страны Персидского залива. Нефть доставляется по морю крупнотоннажными танкерами.

5. Если построить нефтепровод от Ангарска до китайского города Дацина, то можно продавать Китаю 20 или 30 миллионов тонн нефти в год. Это ж какие новые горизонты открываются!

Ходорковский при этом официально даже и не претендовал на то, чтоб новый нефтепровод на Дацин принадлежал ЮКОСу, понимая, что монополию на транспортировку нефти государство не отдаст ни за что. Ходорковский публично недоумевал, когда компания «Транснефть» выступала против строительства нефтепровода на Дацин и настаивала, что транспортировка нефти должна оставаться в руках государства. Ходорковский делал вид, будто не понимает птичьего языка элиты, на котором протесты «Транснефти» значили: отдай вам кусок трубы, так придется отдавать и кусок власти.

Это ж ваш будет нефтепровод — говорил Ходорковский. Лукавил, конечно. Потому что если бы нефтепровод на Дацин был тогда построен, и если бы заключено было тогда межгосударственное соглашение между Россией и Китаем о ежегодных поставках 20 миллионов тонн нефти, то волей-неволей пришлось бы государству заполнять новый нефтепровод нефтью ЮКОСа. То есть ЮКОС получал бы автоматически квоту, и нельзя было бы эту квоту у ЮКОСа отнять, не поимев с Китаем международного скандала. Фактически, если бы построен был тогда нефтепровод на Дацин, государство теряло бы контроль над ЮКОСом, теряло бы монополию на транспортировку нефти. А поскольку Ходорковский финансировал оппозицию, то оппозиция в России получала бы неконтролируемую государством экономическую базу. У нас не юридически только, но и экономически образовывалась бы многопартийная система, как в Британии и как в Америке.

Может быть, эта история с нефтепроводом на Дацин — главная во всем деле Ходорковского. Может быть, через несколько лет, когда уже будут забыты и Ходорковский, и Путин, и Буш, про нефтепровод на Дацин напишут книги и снимут кино, как про последнюю серьезную интригу заканчивающегося нефтяного века. Но у меня нет достаточных материалов для этого. Я могу только расценить попытку Ходорковского построить нефтепровод на Дацин как попытку побега — из российской элиты в мировую. И побег провалился, то ли потому что российская элита не отпустила, то ли потому что мировая не приняла.

Если бы нефтепровод был построен, ЮКОС вступал бы в большую геополитическую игру. Дело в том, что чем больше растет экономика Китая, тем больше ей нужно нефти. И пока Китай получает нефть из Персидского залива, цены на эту нефть и объемы поставляемой Китаю нефти так или иначе могут контролировать Соединенные Штаты Америки. Могут договориться с ОПЕК, могут искусственно взвинтить на нефть цены, устроив в Персидском заливе войну. Могут, в конце концов, просто перекрыть поставки нефти в Китай хоть бы даже и военными методами. Могут, таким образом, контролировать и притормаживать рост китайской экономики, и могут при желании вообще китайскую экономику задушить.

Но если бы Китай получил альтернативный источник нефти, то для контроля над китайской экономикой пришлось бы Соединенным Штатам договариваться и с Россией. А в России — не только с президентом и правительством, но и с главой частной нефтяной компании ЮКОС. ЮКОС приобретал бы огромную власть, а объединившись с «Сибнефтью» и обменявшись акциями с кем-то из международных нефтяных мэйджоров, ЮКОС становился бы одной из транснациональных корпораций, про которые антиглобалисты кричат на своих митингах, будто это корпорации, а не правительства давно уже правят миром. ЮКОС—«Сибнефть»—«Шеврон-Тексако», например. Или ЮКОС—«Сибнефть»—«Дач»—«Шелл».

Думал ли тогда Ходорковский об этом? Заходили ли так далеко его планы? Не знаю. Во всяком случае, теперь, когда телеведущий Леонтьев утверждает, будто Ходорковский намеревался протащить в Думу своих депутатов, сменить президентскую республику в России парламентской республикой и получить власть в стране, став премьер-министром, у меня — вопрос. Почему только в стране? Может быть, Ходорковский намеревался захватить власть над всем миром?

В любом случае ничего не получилось. Государство тогда отказалось строить нефтепровод на Дацин и вознамерилось строить нефтепровод на Находку. Может быть, потому что не хотело терять монополию на транспортировку нефти. Может быть, потому что нефтепровод на Находку получался бы в два раза длиннее, и в два раза больше можно было бы украсть при строительстве. А может быть, под давлением Америки. Говорят, будто Джордж Буш-старший приезжал к президенту Путину в резиденцию Бочаров ручей и советовал строить восточный нефтепровод так, чтоб тот выходил не в Китай, а к морю. Чтоб можно было при необходимости перекрыть-таки с моря поставки нефти в Китай.

Презентации Ходорковского посвящались тогда сравнению двух нефтепроводов. Сменяли друг друга слайды.

1. Длина нефтепровода Ангарск—Дацин — 1700 километров, из них 500 километров по территории Китая и строит их Китай. А длина нефтепровода Ангарск—Находка — 3880 километров и строить придется все самим.

2. Из нефтепровода Ангарск—Дацин Китай заведомо покупает всю нефть, 30 миллионов тонн в год. А из нефтепровода Ангарск—Находка надо перегружать нефть на танкеры. А где взять танкеры? А куда эту нефть везти?

3. Пропуская 30 миллионов тонн нефти в год, нефтепровод Ангарск—Дацин окупится за пять лет. А нефтепровод Ангарск—Находка окупится только за 15 лет и то, если будет прокачивать 50 миллионов тонн нефти в год.

4. Чтобы окупить нефтепровод Ангарск—Находка надо добывать 50 миллионов тон нефти ежегодно в течение 15 лет. Это 750 миллионов тонн нефти. У нас нет столько. На сегодня во всей Сибири разведанных запасов нефти — 260 миллионов тонн. Получается, что проект заведомо убыточный.

На этот раз презентации Ходорковского никого не убедили. По старинной российской бюрократической традиции дело спустили на тормозах. Не было построено ни нефтепровода на Дацин, ни нефтепровода на Находку. Государство не позволило Ходорковскому разрушить монополию на транспортировку нефти, а наоборот, разрушило его компанию и, забрав обломки компании себе, само теперь строит нефтепровод на Дацин, и само будет играть в большую геополитическую игру.

Конспирологи говорят, будто Соединенные Штаты не слишком заступались за Ходорковского именно затем, чтобы не было у Китая альтернативного источника нефти. Говорят, что точно так же Соединенные Штаты будут способствовать и разрушению российского государства, если оно станет строить нефтепровод на Дацин.

Ходорковский, правда, в тюрьме не верит во всю эту конспирологию. Он говорил адвокату Антону Дрелю, что вместе с Джорджем Бушем-старшим входил в правление инвестиционного фонда «Карлайл», тысячу раз встречался и тысячу раз Джордж Буш-старший мог выразить свое неудовольствие по поводу нефтепровода на Дацин. Не выразил ни разу. Или, может быть, Ходорковский просто не понял птичьего языка мировой элиты, на котором Джордж Буш-старший высказывал недовольство?

Последнюю попытку побега из рядов новой российской элиты Ходорковский предпринял 19 февраля 2003 года. Тогда президент Путин пригласил к себе в Кремль крупных промышленников и предпринимателей поговорить о коррупции.

Открывая эту встречу, президент сказал, что с коррупцией надо бороться, но не карательными методами, а создавая такие правила, которые легче было бы соблюсти, чем обойти. Не знаю, следует ли переводить эту фразу с птичьего языка элиты так, что с коррупцией надо бороться, но ни в коем случае не надо коррупцию побороть? Я не слишком силен в птичьем языке.

С короткой приветственной речью выступил глава Российского союза промышленников и предпринимателей Аркадий Вольский. А следом за ним выступал первый основной докладчик председатель совета директоров ОАО «Северсталь» Алексей Мордашов. Он волновался, конечно, докладывая президенту. Мой коллега специальный корреспондент газеты «Коммерсантъ» Андрей Колесников так передает слова господина Мордашова:

— Все возрастающую роль начинает играть возрастание роли государства и его институтов.

Вот это по делу! Вот это господин Мордашов правильно понял задачу: говорить так, чтобы не говорить ничего.
— В некоторых случаях,— продолжал докладчик,— можно наблюдать ряд действий, который приводит к расширению функций государства, а это, в свою очередь, приводит к ослаблению его роли.

Тоже по делу! В качестве примера некоторых случаев господин Мордашов привел историю про своего приятеля, который давно уже, дескать, пытается открыть магазин в Подмосковье, да все никак не может открыть из-за бюрократических проволочек.

Колесников язвил в своей коммерсантовской статье, откуда, дескать, у стального магната Мордашова такие приятели, что даже магазин не могут открыть в Московской области, и почему же магнат Мордашов не поможет приятелю в конце концов. Но промышленникам и предпринимателям, собравшимся за столом у президента, надо полагать, полегчало. Коррупция-то у нас, оказывается, в Подмосковье, касается в основном мелкого и среднего бизнеса, и надо с ней, конечно, бороться, ну так вот ведь боремся же! Ну и слава богу.

Вторым докладчиком был Ходорковский. Он не волновался. Он боялся. Он был бледен, и у него дрожал голос, это заметно даже на видеозаписи той памятной встречи. Сотрудники ЮКОСа говорят, что на работе Ходорковский ценил независимых, гордых и даже наглых менеджеров, но сам во время встречи с президентом не сумел быть независимым и гордым. Боялся. Потому что президент — это же начальство, каким бы ты там ни стал миллиардером и общественным деятелем.

Это генетический страх. Вот ты прожил полжизни. Вот на твоих глазах рухнула великая страна, которую ты считал вечной. Вот ты пережил два бунта, один раз на стороне бунтовщиков, другой раз на стороне правительства, и оба раза победил. Вот ты построил крупнейшую в стране частную компанию, и сколько раз могли убить, пока ты ее строил. Тогда не боялся, а сейчас, сидя в кремлевской зале, боишься. Вот ты перерос властную элиту и презираешь ее и ее птичий язык, и не хочешь говорить на птичьем ее языке, а хочешь говорить по-человечески, и говоришь. Но все равно боишься. Это генетический страх. Ты родился рабом. Держись!

Передо мной на столе лежат картинки с презентацией Ходорковского, точно такие же, как те, что лежали 19 февраля 2003-го на столе перед президентом Путиным. Презентация называется «Коррупция в России — тормоз экономического роста». Коррупция, по этим листкам судя, не в Подмосковье только у нас и не только малого бизнеса касается, а имеет масштабы национальной катастрофы. Переворачиваем листки.

1. По опросу фонда «Общественное мнение», 27% россиян считают коррупцию наиболее опасной для страны проблемой.

2. 51% россиян знает слово «коррупция», 39% слышали это слово, 28% россиян лично сталкивались с коррупцией, по опросу того же фонда «Общественное мнение».

3. 49% россиян считают, что большинство должностных лиц подвержены коррупции, и больше всего коррупционеров — в милиции, на таможне, в правоохранительных органах, в судах, в ГАИ, в высших федеральных органах власти. Это тоже данные опроса фонда «Общественное мнение».

Это все равно что сказать президенту: «Вас и ваших сотрудников половина народа считает коррупционерами». Графики, диаграммы. Ходорковский поясняет их, а президент слушает.

4. 32% россиян считают, что руководство страны хочет, но не может бороться с коррупцией. 29% считают, что может, но не хочет. 21% считает, что не хочет и не может.

Это все равно что сказать президенту, что треть страны, если и не считает президента вором, то уверена в его бессилии против окружающих воров.

5. Масштабы коррупции в России, по данным четырех независимых исследований, больше 30 миллиардов долларов в год.

Это треть государственного бюджета. Это все равно что сказать президенту, что каждый год у президента из-под носа воруют треть страны.

6. 72% россиян не обращаются в суды, потому что там слишком много приходится платить взяток. 78% россиян не обращаются в суды, потому что там нет справедливости. Это опрос фонда «ИнДем».

7. Даже дети в России готовы стать коррупционерами. В те институты, где готовят низкооплачиваемых госслужащих, конкурс больше, чем в вузы, где готовят высокооплачиваемых специалистов. Выпускник нефтяного института получает на первой своей должности 500 долларов, а конкурс в нефтяной институт — два человека на место. Выпускник налоговой академии получает 160 долларов в месяц, а конкурс в налоговую академию — пять человек на место. Выпускник Государственного университета управления получает 200 долларов в месяц, а конкурс — 10 человек на место. Зачем же

дети стремятся получить такие профессии, за которые им будут мало платить? Или у детей какая-то другая арифметика?

Это последнее замечание Ходорковского заметно злит президента. У президента как будто заостряется лицо и в глазах появляется то особое стальное выражение, которому, по-моему, нарочно учат сотрудников спецслужб. Президент говорит:

— Давайте только не будем вот эту презумпцию виновности применять к нашим абитуриентам.

Но это еще не все. Ходорковский продолжает говорить. Очень тихим голосом, голос еле слышен. Сотрудники ЮКОСа утверждают, что очень тихим голосом Ходорковский говорит, когда взбешен, когда в ярости. Но, может быть, голос его тих и от страха. Он говорит:

— Надо сделать коррупцию постыдным явлением. Вот возьмем, например, покупку «Роснефтью» «Северной нефти». Все считают, что сделка эта имела, так сказать, дополнительную подоплеку...

Зал замер. Они понимают, о чем речь. Полунамеками, но высказал все же Ходорковский президенту в лицо страшное обвинение. Дело в том, что незадолго до этой встречи государственная компания «Роснефть» купила крохотную нефтяную компанию «Северная нефть», значительно за нее переплатив. То есть государство купило частную компанию по заведомо завышенной цене. Если в девяностые годы коррупция заключалась в том, что государство распродавало свои компании задешево, то в двухтысячные годы не в том ли заключается коррупция, что государство слишком задорого скупает частные компании? Вот что сказал Ходорковский. Это все равно как сказать президенту: «Вы и ваша команда — вы и есть первые коррупционеры». Впрочем, Ходорковский поправляется:

— Да, коррупция в стране распространяется, и вы можете сказать, что с нас-то,— Ходорковский обводит взглядом сидящих за столом,— с нас-то все и началось. Ну... когда-то началось, а когда-то надо и заканчивать.

Это все равно что сказать президенту: «Мы все, здесь сидящие, и есть главные в стране коррупционеры». А половина людей за столом назначены были президентом. Это его люди.

Президент делает еще более стальные глаза. Он говорит, что «Роснефть» купила «Северную нефть», потому что надо же государственной компании увеличивать свои запасы нефти.

— А некоторые компании, как ЮКОС, например, имеют свои сверхзапасы. И вот вопрос: как они их получили? — президент делает паузу, это прямая угроза.— У ЮКОСа тоже ведь были проблемы с налогами. Да, вы их решаете, но ведь почему-то они возникли.

Это прямая угроза. Вскоре после этой встречи в Кремле Ходорковский собрал руководителей подразделений компании ЮКОС и сказал, что компанию ждут трудные времена, компания будет атакована. Атака будет сокрушительной. Ходорковский просил всех, кто не готов подвергнуться сокрушительной атаке, уволиться из компании немедленно, пока не начались трудные времена, чтобы потом не стать предателями. Почти никто не уволился. Некоторые стали предателями.

На одном из еженедельных собраний «Открытой России» Ходорковский рассказал о своем походе в Кремль Ирине Ясиной. Вообще-то Ирина Ясина была с Ходорковским на «вы» и звала его Михаил Борисович. Но сейчас вспоминает, будто сказала ему тогда:

— Миша, тебя посадят.

Ходорковский покачал головой:

— Не посадят. Они же не враги своей стране.

ГЛАВА 9
ЗАЛОЖНИК

Официальный сайт Ходорковского в интернете khodorkovsky.ru причиной ареста нашего героя считает эту презентацию в Кремле о коррупции. Так прямо и висит на сайте баннер «За что его посадили», а если кликнешь туда, откроется презентация о коррупции. Однако же презентацию Ходорковский делал в конце февраля 2003-го, а посадили его в конце октября. Прошло полгода. В эти полгода уместилась еще куча событий важных в жизни компании ЮКОС.

Недели через две после встречи в Кремле Роман Абрамович предложил Ходорковскому объединить компанию ЮКОС с компанией «Сибнефть». Это была крайне заманчивая сделка, хоть и рискованная. Специалисты говорят, что две компании подходят друг к другу, как кусочки паззла. Сырье, добытое «Сибнефтью», выгоднее перерабатывать на нефтеперерабатывающих заводах ЮКОСа, и наоборот. Ходорковский говорил про эту сделку одному из своих сотрудников: «Вот хочется тебе с любимой девушкой сходить в ресторан, но в ресторане шпана и могут набить морду. Что же делать? — Ходорковский выдерживал паузу.— Идти с девушкой в ресторан». Надо полагать, Ходорковскому просто не пришла тогда в голову ни пословица «Путина бояться — в сортир не ходить», придуманная кем-то из интернетских остряков, когда президент Путин в телевизоре грозился «мочить террористов в сортире».

Похоже, больше всего Ходорковский интересовался тем, чтоб сохранить готовившуюся сделку в тайне. И сохранить ее в тайне получилось. Во всяком случае, газеты узнали об объединении двух компаний за день до официальной пресс-конференции по этому поводу. Для журналистов объединение ЮКОСа и «Сибнефти» было неожиданностью. Не знаю, было ли это неожиданностью в Кремле.

— Вы вели эту сделку как адвокат? — спрашиваю я Антона Дреля.

— Нет, я просто помог найти некоторых юристов, которые занимались подготовкой сделки. Ходорковский не

хотел поручать это дело юристам ЮКОСа, опасался
утечки информации.

— Вы понимаете, чего он хотел этой сделкой добиться?
Сделать большую компанию и продать? Государству?
Иностранцам?

— У Ходорковского был план сделать первую российскую транснациональную компанию,— говорит Антон
Дрель.— Он хотел значительную часть акций объединенной компании обменять на акции, например, «Экссон
Мобил». В результате получилась бы огромная трансна-
циональная компания «Экссон Мобил»—ЮКОС—«Сибнефть», в которой у Ходорковского с Абрамовичем (то
есть у России) было бы около 30%, самый крупный пакет, для западной компании, считай, контрольный. Получалось бы, что такой большой транснациональной шту-
ковиной владели бы россияне. Не знаю, почему пиар
юкосовский никогда об этом не рассказывал.

Если то, что говорит адвокат Антон Дрель правда,
то, стало быть, неправильно верить телеведущему Леонтьеву и думать, будто Ходорковский хотел захватить
власть в стране. Скорее речь шла о том, чтоб стать независимым от российской власти.

Антон Дрель говорит:

— Он не хотел заниматься политикой, если не считать
политикой каждый чих.

Ирина Ясина говорит:

— Он не хотел заниматься политикой. Просто в тотали-
тарной стране любую общественную деятельность считают политической деятельностью. Мы, например, хотели заниматься гражданским воспитанием в школах,
потому что родители не могут ведь научить детей быть
свободными гражданами, сами ведь никогда свободными гражданами не были. Но нам запретили преподавать
в школах свободу и гражданственность. Это считается
политика. Нам разрешили только покупать школам
компьютеры и проводить в школы линии интернета.

Семнадцатого июня совладелец ЮКОСа Леонид Невзлин стал ректором РГГУ. Ученый совет избрал Невз-

лина ректором на том условии, что ЮКОС вложит в Гуманитарный университет серьезные деньги. Теперь мне кажется, что усилия акционеров ЮКОСа в начале 2003 года можно сложить в некоторую общую картину: они атакуют коррупцию, они выводят крупнейшую нефтяную компанию из-под контроля государства, они финансируют оппозицию, они воспитывают новое поколение свободных граждан, они развивают гуманитарную науку — у них, кажется, есть какой-то бизнес-план для России. Еще немного, и Россия выйдет из-под личного контроля президента Путина, станет совсем западной страной. В некотором смысле это действительно заговор, направленный на смену общественного строя. И глупо же думать, что Кремль не замечал такого заговора.

Девятнадцатого июня 2003 был арестован глава службы безопасности ЮКОСа Алексей Пичугин. Его брали так, как будто он один — целое бандформирование. Офис Пичугина штурмовало 27 спецназовцев, хотя можно было просто предъявить ордер и войти в дверь. Обыскали кабинет, изъяли сейф, Пичугин просил позвать на обыск адвоката, но адвоката не позвали. Следствие и суд по делу Пичугина были закрытыми. Адвокаты его сообщали только, будто во время следствия, чтоб «разговорить» Пичугина, ему кололи психотропные препараты и свели этим с ума.

Второго июля был арестован Платон Лебедев.
— Платон вообще ни при чем,— говорит мне адвокат Антон Дрель.— Платон вообще никакого отношения не имеет ко всему этому делу. Он чистый заложник.

А Ходорковский из тюрьмы пишет мне:

«Я поверил в то, что правила игры можно изменить не вообще когда-то, а сейчас. Поверил в Касьянова, Путина. Наверное, трудно понять и тем более поверить, но я, в общем, прямой человек, делаю, что говорю и говорю, что делаю, и чисто психологически ожидаю этого от других.

Я все понимаю, а подсознательно все равно считаю, что люди не могут говорить одно, а делать прямо противоположное. Умом понимаю возможность интриги, а потом опять верю и ничего не могу с собой поделать. Меня всегда поправлял Леонид (Невзлин.— В. П.), а здесь и он сплоховал.

В общем, я всегда действительно верил в то, что говорю, когда говорил Президенту (орфография сохранена, Ходорковский пишет слово „президент" с большой буквы.— В. П.), что можно и нужно покончить с коррупцией, когда предлагал и добился принятия антикоррупционного закона „О трубе", поправок в налоговое законодательство, принятия правил корпоративной этики, оно все работает. То, что мы сделали, никто не отменил! Даже международная отчетность внедряется. Просто были включены другие механизмы — „бейсбольная бита". Мы справились с воришками, а нарвались на разбойников. Мог предусмотреть — мог, когда понял, было поздно, и надо было или встать на колени, или пойти в тюрьму. Может быть, и встал бы, если бы не Платон, во всяком случае, искушение было бы сильное, но бросить (Платона.— В. П.) не смог».

Из письма Ходорковского следует, что если бы не был арестован Платон Лебедев, то Ходорковский не пошел бы в тюрьму, а сдался бы, хоть мы и не знаем, как в таких случаях сдаются и какие в таких случаях бывают аннексии и контрибуции.

— Вы же, наверное, даже и не слышали про Платона Лебедева до тех пор, как его арестовали? — говорит Антон Дрель.

И он почти прав. Про Платона Лебедева я слышал только однажды. Году в 1998-м или 1999-м в журналистской тусовке рассказывалась история про то, как репортер газеты «Ле Тан» Сильван Бессон приехал в Москву расследовать историю о деньгах ЮКОСа в Швейцарии, пошел поговорить про это с Платоном Лебедевым, а тот был с Бессоном груб, сказал, чтоб не лез лучше Бессон в это дело, и спросил даже, не боится ли Бессон, что завтра его на улице переедет машина. Мы смеялись тогда, что Бессон не сразу даже понял, что это угроза. Мы без обсуждений решили тогда, что, конечно, Лебедев бандит, потому что все они там, в большом бизнесе, бандиты. Впрочем, угроза Лебедева не приведена была в исполнение, Бессон спокойно опубликовал свое расследование, и никакой автомобиль его не переехал.

Ирина, бывшая сотрудница Лебедева, эмигрировавшая после ареста Лебедева в Лондон, иначе представляет себе инцидент с Сильваном Бессонном. Помните, Ирина появлялась уже в нашей истории мельком четыре главы назад? Мы разговариваем в лондонском отеле возле Кенсингтонского парка. Я приехал на эту встречу раньше времени, прогуливался по парку и издалека видел, как Ирина входит в отель. Мы прежде не были знакомы, но я сразу подумал, что эта красивая молодая женщина — русская. Она единственная из всех прохожих не была небрежна в одежде. Раньше в Европе русские выделялись из толпы тем, что были одеты слишком плохо, теперь выделяются тем, что одеты слишком хорошо. Ирина говорит:

— Платон терпеть не мог, когда его долго не понимали. Я всегда, если не понимала, просила объяснить, и он ни разу не повысил на меня голос. А если человек не понимал, но притворялся, будто понимает, Платон начинал ужасно кричать и страшно ругаться.

Ирина совсем не так вспоминает Платона Лебедева, как вспоминает его Сильван Бессон. Она говорит, что работа с Лебедевым была счастьем.

— Был 1997 год, когда я пришла работать к Платону. Был нефтяной кризис, были кредиты, взятые на покупку Восточной нефтяной компании, а денег не было совсем. Мы работали по двенадцать часов в сутки. А когда очень поздно задерживались на работе, Платон подвозил меня домой. Было очень тяжело, правда, поверьте. А еще рухнул сервер юкосовской бухгалтерии, знаете, как может сломаться жесткий диск в компьютере. Еще и бухгалтерию восстанавливали. Очень было тяжело, но был драйв. Казалось, что вот нет такой проблемы, которую мы не можем решить. Еще с февраля 1998-го про дефолт стало ясно, что он обязательно случится, но я больше заботилась о том, чтоб соответствовать своим прямым должностным обязанностям и не думала о макроэкономических проблемах. Мы почему-то все были уверены, что когда случится дефолт, мы и эту проблему тоже решим. Было такое чувство, что вот какие же мы все молодцы.

Ирина рассказывает, что, проводя по двенадцать часов вместе на работе, сотрудники Платона Лебедева еще и отдыхали вместе, и вместе собирались поехать в отпуск, хотя в 1997 и 1998 годах не бывало отпусков.

Зато ездили к Лебедеву на шашлыки. Про одну из таких поездок Ира рассказывает чуть ли не как про самый счастливый день в своей жизни. Это, кажется, было ранней весной 1998 года. Во всяком случае, еще лежал снег. К Платону Лебедеву на дачу приглашены были пятеро или шестеро молодых финансистов из ЮКОСа, и секретарша Лебедева нарочно обзванивала их всех накануне, зачитывая каждому, кто какие продукты для вечеринки должен привезти с собой из Москвы. У нее был список, лично завизированный главой МЕНАТЕПа миллионером Платоном Лебедевым: «Лук репчатый, красный — 2 кг. Лаваш свежий, горячий — 10 шт.». Ира единственная была без машины, и поэтому Лебедев приехал встречать ее к станции метро «Крылатское».

— Он сам был за рулем? — спрашиваю.

— Он всегда был сам за рулем. Когда руководители ЮКОСа стали уже все ездить с водителями и охраной, и служба безопасности настаивала на необходимости охраны, Платон сказал: «Идите вы на х..., ребята. Я люблю рулить. Я как ездил, так и буду ездить». Я даже не знаю, была ли у него охрана вообще. Во всяком случае, начальника охраны Невзлина я знаю, и начальника охраны Дубова знаю, а кто начальник охраны Платона, понятия не имею.

Ира рассказывает, как они ехали по Рублевскому шоссе, Лебедев весело ругался по поводу автомобильных пробок и одновременно разъяснял девушке (Ире было 24 года), что вот у него самая лучшая в мире машина «Линкольн Навигатор», и что в этом «Линкольне» есть такое специальное приспособление, которое позволяет машине лазать по горам под углом 45 градусов.

— Он что,— спрашиваю,— лазал на своем «Линкольне» по горам?

— Не знаю,— Ира смеется.— Во всяком случае, он знал, что у него в машине есть такая «хреновина».

Потом они заехали в Жуковку на рынок возле ресторана «Царская охота», и Лебедев объявил, что гордится знакомством с бабушкой, которая продает на рынке лучшие соленые огурцы и лучшие соленые грибы. Потом они выбирали мясо для шашлыка. Лебедев говорил: «Вас, молодежь, подпускать нельзя к выбору мяса, вы в мясе ничего не понимаете». И набрал шашлыка целую гору.

Потом они приехали на дачу и сразу же на огромный стол стали раскладывать закуски: маринованный красный чеснок, черемшу, знаменитые соленые огурцы и соленые грибы от волшебной бабушки.

— Вы только не подумайте,— говорит Ира,— что это был какой-то пир во время чумы. У нас, конечно, был кризис, и компания была на грани банкротства, но мы правда точно знали, что можем решить любую проблему.

— Прислуга-то была? — я спрашиваю.

— Какая прислуга? Все сами.

Явилась водка в запотевших бутылках. Молодежь принялась галдеть. Лебедев оделся в куртку, сказал: «Вас, молодежь, близко к мангалу подпускать нельзя». И вышел на двор к мангалу. Минут через пять молодые люди в окно увидели, что Лебедев у мангала разговаривает с совладельцем ЮКОСа Владимиром Дубовым, который просто зашел в гости по-соседски.

— У них там прямо общежитие было,— улыбается Ирина.— Они каждый день виделись на работе, да еще и жили в одном поселке. Ужас. Выходишь утром, Ходорковский бегает. Приходишь вечером, Ходорковский прогуливается. С ума сойти можно.

Веселье сразу стихло. Дубова почему-то, в отличие от Лебедева, молодые финансисты почитали начальством и не могли в присутствии Дубова галдеть. «Давайте, что ли, видео посмотрим?» — предложил кто-то. Через четверть часа, когда Лебедев и Дубов, веером держа шампуры с шашлыком в обеих руках каждый, вошли в дом, молодежь чинно сидела на диване и смотрела видео.

В 1998 году, когда случился кризис и обанкротился банк, это Платон Лебедев отвечал за то, чтоб расплатиться со всеми акционерами и вкладчиками. И расплатился. В начале двухтысячных, когда стало ясно, что ЮКОСу выгоднее добывать нефть вахтовым методом, чем кормить заполярные города, это Платон Лебедев придумал, как заставить рабочих уехать с насиженных мест: всем, кто согласился переезжать, ЮКОС раздавал свои акции. Рабочим раздали около 10%. Теоретически, когда продаешь так быстро столько акций, капитализация компании должна падать. Но капитализация не упала, наоборот, акции стали расти в цене в то самое время, когда их раздавали рабочим, и это благодаря Платону Лебедеву.

— Платон Леонидович,— говорит Ира,— он ведь правда гениальный менеджер. Он может организовать людей на что угодно. Он может сделать так, чтоб люди все работали, как проклятые. А может сделать так, чтоб отдыхали и веселились, как сумасшедшие. В профессиональном смысле Платон тогда для меня был бог, и на работе я испытывала по отношению к нему благоговейный трепет. А на шашлыках с ним было легко и весело.

«Знаешь что, Володя,— сказал Лебедев Дубову,— ты зайди, что ли, попозже, а тот тут молодые люди у меня к твоему приходу построились и взяли под козырек». «Да уж,— Дубов неохотно сложил свои шашлыки на блюдо.— Пойду, принесу вам строганины».

Как только Дубов ушел, стало опять весело. После шашлыков мужчины пошли в баню. После бани вывалили на улицу играть в футбол. После футбола сын Лебедева принялся катать гостей на сноуборде, а Лебедев следил, чтоб мальчик обязательно завалил каждого из гостей в сугроб. «Тетя Ира, сколько вам лет?» — спросил мальчик, когда пришла Ирина очередь кататься. «Двадцать четыре».— «Вы совсем молодая. А можно я буду вас звать просто Ира и не на „вы", а на „ты"?» — «Можно».— «Ира, ты мне очень нравишься, я не буду тебя опрокидывать в снег».

В этот самый момент, видя, что все уже повалялись в сугробе и не повалянным остается только Платон Лебедев, один из молодых финансистов (главный бухгалтер ЮКОСа, между прочим) разбежался и с разбега попытался повалить Лебедева в снег. Но Лебедев увернулся и борцовским каким-то приемом (Ира говорит, что очень красиво) бросил в снег своего главного бухгалтера. Пока бухгалтер летел, с него свалились очки, а Лебедев, проведя свой прием, оступился немного и очки нечаянно растоптал. «У меня же минус пять,— хохотал главный бухгалтер, валяясь в снегу.— Вы теперь будете меня весь вечер водить за руки и кормить».

Я спрашиваю:
— Долго продолжалось такое счастливое время?
Ира говорит:
— До 2001 года. К 2001 году мы расчистили компанию. От всякой грязи. От всяких бандитских присосок. Она стала почти прямо западной компанией, прозрачной и скучной. Жизнь наладилась, но драйв пропал. Я ушла от Платона, мы несколько лет не общались. И я ужасно об этом жалею. Из нас из всех, по-моему, одному только Платону удалось сохранить драйв до конца, до самого ареста.

Адвокат Антон Дрель рассказывает, что первый раз из прокуратуры Платону Лебедеву позвонили в январе 2003-го. Звонок был совсем мирный. Следователь извинился за беспокойство, заверил, что к Лебедеву лично никаких претензий нет и быть не может, а просто прокуратура расследует дело принадлежавшей Борису Березовскому компании ЛогоВАЗ. В девяностые годы возглавляемый Лебедевым Банк МЕНАТЕП давал вроде компании ЛогоВАЗ кредит, так не согласится ли Платон Леонидович кое-что рассказать о том кредите?

— Можно мы к вам приедем поговорить? — спросил следователь.

— Ну приезжайте,— отвечал Лебедев.— Про кредит ЛогоВАЗу я, правда, не помню. Может, и давали. Кому только мы не давали тогда кредитов. Приезжайте, что помню, расскажу.

Повесил трубку, позвонил адвокату Антону Дрелю, попросил прийти и присутствовать при этом дружеском разговоре со следователем. Разговор, действительно, был вполне дружеский. Дрель говорит, что следователь спрашивал всякие глупости. Типа помнит ли Платон Леонидович, кто приходил от Березовского просить кредит? Не помнит. Знаком ли Платон Леонидович с Березовским лично? Знаком. Позадавав вопросы минут сорок, следователь сказал:

— А можно я сейчас протокол допроса составлять не буду, а на работе потом составлю и пришлю вам, чтоб вы подписали?

— Можно,— сказал Лебедев.

На том дело и кончилось. Пять месяцев из прокуратуры не присылали на подпись никакого протокола. Лебедев уже и забыл о нем. Но в середине июня (тогда же примерно, когда арестован был Пичугин, видимо, раскручивать дело ЮКОСа принялись одновременно с разных концов) следователь позвонил вдруг снова:

— Платон Леонидович, протокол-то надо все же подписать. Только можно вы к нам приедете и подпишете у нас?

На следующий день Лебедев с Дрелем поехали в прокуратуру, подписали протокол, и следователь как бы между прочим попросил Лебедева на минуту буквально зайти к следователю Каримову.

Это теперь из тюрьмы Платон Лебедев пишет следователю Каримову жалобы, начиная письмо словами: «Руководителю организованной антиконституционной преступной группировки Каримову» и подписываясь «честь имею Платон Лебедев», а тогда не имел Лебедев ничего против беседы с Каримовым. Каримов вдруг сказал:

— У нас есть сведения, что вы скрываете операционистку, которая выдавала кредит ЛогоВАЗу.

— Я скрываю?! — взревел было Лебедев по своему обыкновению, но сдержался.— Хорошо, если целая прокуратура не может найти девчонку-операционистку, которая скрывается от следствия и не является на допросы, я помогу вам ее найти.

К слову сказать, нашел. Через несколько дней выяснилось, что девушка-операционистка, выдававшая в МЕНАТЕПе кредит ЛогоВАЗу, давно из МЕНАТЕПа уволилась и работает теперь в Сбербанке.

— А что,— продолжал Каримов,— что там было с векселями во время кризиса?

— А это имеет отношение к делу? — насторожился Антон Дрель.

— Имеет.

Антон Дрель говорит, что после этих слов Платон Лебедев прочел прокурорским работникам целую интереснейшую лекцию о кризисе и финансах, о том как, зачем, и почему после кризиса появились векселя. Антон говорит:

— Я думаю, его и арестовали-то из-за этой лекции. Следователи подумали, что Лебедев готов говорить и может объяснить им многое, чего они сами не понимают. Они, кажется, думают, что если человек охотно берется что-то им растолковывать, значит, заговорил, колется. Но Лебедев не заговорил. Ему просто интересно рассказывать про финансы, он хороший финансист.

С середины июня Платона Лебедева стали время от времени вызывать в прокуратуру и допрашивать в качестве свидетеля. Ни одной повестки, то есть ни одного документа, обязывающего гражданина явиться на допрос, выписано не было. Из прокуратуры звонили, Лебедев приходил. Последний раз звонили в конце июня и просили прийти 2 июля в 10.00. Повестки не было. Лебедев согласился прийти в прокуратуру 2 июля в 10.00, но не обязан был приходить.

А 1 июля, накануне визита в прокуратуру, Лебедеву стало плохо с сердцем. Его отвезли на «скорой» в госпиталь Вишневского, ближайшую от его дома больницу.

Второго июня в 10 утра адвокат Антон Дрель приехал в прокуратуру сказать, что клиент его заболел, что через пару дней выяснится, скоро ли клиента выпишут, и тогда можно созвониться и договориться, когда Лебедев придет на допрос.

— Следователь орал на меня,— говорит Антон,— вы представляете? Он орал на меня и тыкал мне: «Где твой Лебедев? Он плюет на нас, твой Лебедев! Вы разворовали страну! Где вы его скрываете?» Я пытался объяснить, что не знаю даже, в какую больницу Лебедева увезли, что в течение дня все выясню и сообщу, когда его выпишут. Но следователь не стал слушать. Просто выписал Лебедеву повестку на завтра, на 3 июня. Это была первая повестка. Я надеялся поговорить с Платоном и убедить его по этой повестке явиться.

В тот же день вечером, то есть 2 июня, Платона Лебедева арестовали в больничной палате, на том основании, что он, дескать, скрывался от следствия.

Это потом на суде Платон Лебедев говорил, что до указанного в повестке времени допроса оставалось больше двенадцати часов, и какого же тогда черта прокуратура выдумывает, будто он не являлся на допросы. Это потом на суде Платон Лебедев говорил, что глупо было думать, будто он может бежать, потому что за две недели до ареста у него родилась дочь, и какой же нормальный мужчина станет бежать от двухнедельного ребенка? Как это себе представляют прокурорские работники? Или нет среди прокурорских работников нормальных мужчин? Это потом на суде. А тогда, вечером 2 июня, Платон Лебедев не способен был сказать ни слова и не понимал даже, что ему говорят.

Адвокат Антон Дрель рассказывает, что вечером приехал в прокуратуру, где арестованного Платона Лебедева пытались допрашивать. Лебедев сидел на стуле, тихонько раскачивался и мычал.

— У него было высокое давление,— говорит Антон Дрель.— Он сообразил только, что не надо вообще ничего говорить. Ему давали какие-то таблетки, но таблетки, похоже, не помогали.

Антон рассказывает, что то ли на первом допросе, то ли на одном из последующих допросов с Платоном Лебедевым пыталась разговаривать одна молодая следовательница:

— Платон Леонидович, чего вы обижаетесь? Я понимаю, вы на Каримова обижаетесь, но мы-то с вами русские православные люди, давайте поговорим.

Второго июля у бывшей подчиненной Платона Лебедева Ирины был день рождения. Она сняла зал в ресторанчике «Мартель» на улице Чаянова и пригласила друзей. Многие Ирины друзья работали в ЮКОСе. В числе приглашенных была и помощница Ходорковского Татьяна Чуваева. Так вот праздник давно начался, но все друзья из ЮКОСа, как по команде, опаздывали. Ира говорит, что Татьяна Чуваева приехала ближе к ночи. Ира говорит, на ней не было лица. Она протянула Ире цветы, подарок и сказала:

— Привет. Поздравляю. Платона арестовали.

В зале воцарилась тишина. Ира говорит, что у нее мир переворачивался перед глазами. Немного придя в себя, гости стали пить молча и быстро. Ира говорит, что через полтора часа они выпили в ресторане все спиртное, старались побыстрей захмелеть. А когда все же захмелели, некий человек по имени Максим, бывший Ирин и Платона Лебедева сослуживец сказал:

— Зря они так,— он имел в виду прокуратуру, власть, Кремль, президента? — Они еще пожалеют об этом. Не такие мы проблемы решали!

Ира утверждает, будто ответила тогда:

— Нет, Макс, таких проблем мы никогда не решали. На этот раз мы проиграем.

Ира говорит, что вернулась домой и стала ждать звонка. И через несколько дней Ире позвонил кто-то из ЮКОСа (Ира не говорит, кто) и попросил покинуть страну, чтоб у прокуратуры не возникало желания допросить Иру по делу Платона Лебедева.

Через десять дней Ира уехала в Лондон.

А 2 июля Ходорковский расхаживал по своему кабинету, как тигр по клетке, и ждал того времени, когда глубокой уже ночью его примет кто-то из правительства или администрации президента. Расхаживал и говорил:

— Никогда не прощу себе, что Платона арестовали.

Люди, близко знающие Михаила Ходорковского, рассказывают, будто в ночь после ареста Лебедева Ходорковского принял премьер-министр Касьянов. Касьянов будто бы сказал, что ездил к президенту Путину, и президент вроде бы велел передать: «Пусть Ходорковский не волнуется. Это не политический заказ. Кто-то из олигархов проплатил прокуратуре, чтоб она наехала на Лебедева. Олигархи между собой грызутся. Разберутся, выпустят».

В ту ночь в офисе Ходорковского были несколько известных журналистов, имени которых я не могу назвать. И они не поверили тогда Ходорковскому, будто президент действительно мог так сказать: «политический заказ», «проплатил прокуратуре». Через некоторое время эти журналисты встречались с премьер-министром Касьяновым, и тот, не под запись, разумеется, вроде бы подтвердил, что действительно был у него такой разговор с президентом и действительно будто бы президент как про нечто само собой разумеющееся говорил про возможность политического заказа и коррумпированность прокуратуры: «Пусть Ходорковский не волнуется. Это не политический заказ. Кто-то из олигархов проплатил прокуратуре, чтоб она наехала на Лебедева. Олигархи между собой грызутся. Разберутся, выпустят».

В первые же дни после ареста Лебедева люди из ЮКОСа разговаривали с Романом Абрамовичем. Спрашивали, не может ли Абрамович, пользуясь своими связями в Кремле, поговорить с президентом и посодействовать освобождению Лебедева. Абрамович вроде бы сказал, что разговаривать с президентом про Лебедева не будет, боится.

Во всей нашей истории единственный человек, который, похоже, никогда не боялся — это Платон Лебедев. Он не сотрудничал со следствием. Он писал в прокуратуру дерзкие письма. Он в суде говорил государственным обвинителям, когда те пытались допросить его: «Я не желаю с вами разговаривать, вы преступники, вы сфальсифицировали это дело, вы налгали». Он дерзил и в тюрьме. Ему не передавали в тюрьму лекарства. Его переводили из тюремной больницы в общую камеру. Его сажали в карцер. Он продолжал дерзить.

На второй день после ареста адвокат Антон Дрель получил разрешение посетить своего клиента Платона Лебедева в следственном изоляторе «Лефортово». Когда адвокат зашел в камеру для свиданий, Лебедев первым делом спросил:

— Кого из ребят еще взяли?

Он был совершенно уверен, что арестовали не его одного, а всех или почти всех акционеров ЮКОСа. В конце концов он оказался прав. С самого дня ареста Лебедев не тешил себя иллюзиями, будто можно выкрутиться, пойти на уступки или, как пишет Ходорковский, стать на колени. С самого первого дня в тюрьме Лебедев был уверен, что не только он, но и его товарищи перемолоты будут в порошок подконтрольной власти прокуратурой, судом, правоохранительной системой. И единственное, уверен был Платон Лебедев, что остается — это достойно принять неволю и, может быть, смерть.

В этом смысле написанные из тюрьмы мне слова Ходорковского «бросить Платона не мог» выражают трагическое чувство — дружбу.

Про Ходорковского известно, что когда он стал богатым, то старался всегда пристраивать на работу в МЕНАТЕП или в ЮКОС своих школьных и институтских друзей. Ходорковскому, кажется, свойственно атавистическое какое-то представление о дружбе из советских песен типа «Были два друга в нашем полку, пой песню, пой...».

Я перечитываю письмо Ходорковского и думаю, что дружба, понятие не принятое в современной политике и современном бизнесе, многое объясняет. Вы хотите знать, почему Ходорковский не бежал, а пошел в тюрьму? Он не мог бросить друга. Он считал своим долгом разделить судьбу друга, который вознамерился достойно принять неволю и, может быть, смерть. Как вам такое объяснение?

Я пишу эти слова 24 августа 2005 года. То ли за то, что Ходорковский из тюрьмы слишком много пишет статей в газеты, то ли просто за дерзость и отказ выйти на прогулку Платон Лебедев помещен в карцер изолятора «Матросская Тишина». По площади этот карцер такой же примерно, как любимый «Линкольн» Лебедева. Там в карцере любителю соленых огурцов, грибов и шашлыка Платону Лебедеву не дают пищи и воды.

И третий день сегодня в знак солидарности с другом Михаил Ходорковский держит в тюрьме сухую голодовку.

ГЛАВА 10

РАЗГРОМ

«Если бы год назад мне сказали, что СПС и „Яблоко" не преодолеют 5-процентный барьер на думских выборах, я серьезно усомнился бы в аналитических и прогностических способностях говорившего»,— пишет Михаил Ходорковский весной 2004 года в статье «Кризис либерализма в России».

А ведь ему говорили. Он что, забыл? Или события, произошедшие до ареста, в воспоминаниях узника меняют масштаб? Или Ходорковский просто для красного словца написал «Если бы год назад мне сказали...» тогда как примерно за год до написания «Кризиса либерализма» ему и сказали? Или действительно статью «Кризис либерализма в России» написал не Ходорковский, а кто-то, кто не знал, как в январе 2003-го приезжали к Ходорковскому в Жуковку Немцов и Чубайс?

В январе 2003-го за девять месяцев до ареста и за четырнадцать — до того, как была написана статья «Кризис либерализма в России», к Ходорковскому в Жуковку приезжали лидеры партии «Союз правых сил» Анатолий Чубайс и Борис Немцов. Арестом тогда и не пахло, Ходорковский был на вершине своего могущества. Чубайс и Немцов приезжали сказать, что Яблоко и СПС рискуют не пройти в Думу, если не объединятся. Наверное, первая мысль, пришедшая тогда Ходорковскому в голову, была такая, что вот Чубайс затеял очередную интригу. Во всяком случае, Ходорковский пишет мне из тюрьмы: «...путь Чубайса — это путь дворцовой интриги, он уже по-другому не может и не хочет».

Теперь Борис Немцов тащит меня спортивным шагом по дорожке дома отдыха «Лужки» и говорит:
— Что ты на меня глаза выпучил. В январе 2003-го мы с Чубайсом приезжали к Ходору в Жуковку и предлагали объединить СПС и «Яблоко».
— Вы домой к нему приезжали? — спрашиваю я.
— Нет, там у них бизнес-центр есть в поселке. Ну клуб такой. Ну помнишь, где обыск потом был?

— Значит, там были ты, Чубайс, Ходорковский… Еще кто-нибудь?

— Я, Чубайс, Ходорковский и Невзлин,— Немцов смотрит на часы и добавляет: — Мы с тобой, как пенсионеры идем, Панюшкин. Неспортивно это. Покажи живот!

— Зачем? — я задираю майку и показываю Немцову живот.

— Ужас, какой у тебя рыхлый живот, Панюшкин. Вот такой живот должен быть,— Немцов в свою очередь задирает майку и показывает мне живот. Брюшные мышцы у Немцова накачаны более или менее кубиками.

— Послушай, советник, плевать мне на твой живот. Я вообще первый раз в жизни слышу, что СПС и «Яблоко» всерьез пытались объединиться. Ну? А почему вы с Чубайсом поехали к Ходорковскому, а не к Явлинскому, например?

— Потому что с Гришей,— Немцов имеет в виду лидера партии «Яблоко» Григория Явлинского,— невозможно договориться, у Гриши амбиции, Гриша за что-то там ненавидит Чубайса, а Ходор в те выборы финансировал «Яблоко» на сто процентов и нас частично. Мы хотели, чтоб Ходор уговорил Гришу объединяться.

Неделю спустя я встречусь с лидером «Яблока» Григорием Явлинским в маленьком итальянском ресторанчике на Пятницкой. Явлинский скажет:

— Потому и невозможно договориться с СПС, что они ведут переговоры не с «Яблоком», а с тем, кто дает «Яблоку» деньги. Они думают, будто «Яблоко» выполняло заказ Ходорковского. А я думаю, что Ходорковский давал «Яблоку» деньги, потому что разделял наши взгляды. Они думают, будто Ходорковский нас купил, и разговаривать надо с владельцем. А я думаю, не купил и не сможет купить никогда.

Я представляю себе, как Ходорковский слушал Чубайса и Немцова, слушал и пытался понять, в чем интрига.

— Чем мотивировали? — спрашиваю я.

— Бизнесом мотивировали,— говорит Немцов.— Мотивировали тем, что вот Ходор дает деньги «Яблоку» и дает деньги нам, а мы эти деньги расходуем на то, чтоб бороться друг против друга. Получается, что Ходор свои деньги просто сжигает.

— Как же вы предлагали объединяться?

— Мы предлагали, чтобы на президентских выборах Явлинский был нашим единым кандидатом, а на думских выборах чтобы первая тройка в объединенном партийном списке была Немцов—Явлинский—Хакамада.

— А Чубайс где же?

— А Чубайс уходит совсем,— Немцов говорит эту фразу торжественно, так что в кино на этой фразе зазвучала бы героическая музыка.

Ходорковский пишет мне из тюрьмы: «Уйти в сторону реально — это большое мужество». Я представляю себе, как слушал Ходорковский Чубайса и Немцова и думал, реально ли Чубайс собирается уйти в сторону. Такая отчетливая жертва, как уход Чубайса из политики, не должна ли настораживать, как настораживает шахматиста жертва ферзя? Я спрашиваю Немцова:

— Что сказал Ходорковский?

— Ходорковский сказал «да». Он обещал поговорить с Явлинским.

— А что сказал Невзлин?

— Невзлин был против в том смысле, что «Яблоко», поскольку они его полностью финансируют, то полностью и контролируют, а объединенную партию они финансировать будут частично, и потеряют над ней контроль.

— А Ходорковский что?

— Ходорковский сказал, что ему не нужен контроль над либеральными партиями, а нужно, чтоб либеральные партии были в Думе. Он позвонил Явлинскому и пытался уговорить его объединяться. Но ничего не получилось. Ходор говорил потом, что столько вони наслушался про СПС и Чубайса, плюнул и...

Я шагаю рядом с Немцовым и думаю, что же это за контроль такой стопроцентный, который так боялся потерять Невзлин? Что же это был за контроль, если

Ходорковский не мог просто повелеть лидеру партии «Яблоко» объединяться с СПС?

Неделю спустя Явлинский скажет мне в итальянском ресторанчике на Пятницкой, что Ходорковский не звонил ему и не предлагал объединяться с СПС. А про контроль Явлинский скажет:

— Они, конечно, хотели контроля над партией. Вернее над нашей фракцией в парламенте. Но мы боролись с их контролем политическими методами. Мы провели через съезд решение о том, что лидера фракции выбирает не фракция, а съезд. Даже если бы все члены фракции «Яблоко» в Думе были верны Ходорковскому, они не могли бы избрать лидера фракции. Только через съезд.

Я спрашиваю Немцова:

— И что?

— И вот мы в дерьме сидим, Панюшкин, а Ходор сидит в тюрьме, а ты книжку пишешь. Ты понимаешь хоть, что не про Ходорковского книжку пишешь, а про Путина?

— Угу! Про внутреннего Путина...

Год 2003-й должен был стать для Ходорковского переломным. Вся эта его «внутренняя переоценка ценностей», произошедшая, как он пишет, в 1998 году, должна была, наконец, получить материальное воплощение. «Скорлупа», про которую Ходорковский пишет, будто в 1998 году «дала трещину», должна была развалиться окончательно. Обстоятельства складывались одно к одному.

В январе 2003-го Ходорковский пытался объединить «Яблоко» и СПС. Не объединил, но была создана комиссия, в которой Сергей Иваненко от «Яблока» и Ирина Хакамада от СПС пытались договориться об объединении.

В феврале 2003-го Ходорковский выступил в Кремле с презентацией о коррупции. Презентация не понравилась президенту, но тему коррупции никто ведь не закрыл, и казалось, будто эта неудачная презентация — только начало разговора.

В марте 2003-го владелец компании «Сибнефть» Роман Абрамович предложил Михаилу Ходорковскому объединить «Сибнефть» и ЮКОС. Ходорковский согласился: в результате сложного обмена акциями, 26% (блокирующий пакет) в объединенной компании «ЮКОС-Сибнефть» должны были принадлежать «Сибнефти», а остальное — ЮКОСу. Казалось, еще немного и удастся создать такую большую компанию, что государство не сможет ее контролировать, не сможет нанести ущерб ее акционерам, как нанесло в 1998 году акционерам Банка МЕНАТЕП.

В апреле, 26 апреля 2003 года, Михаил Ходорковский встречался с президентом Путиным еще раз, теперь уже один на один. Про эту свою встречу с президентом Ходорковский рассказывал Борису Немцову и Ирине Ясиной. А Немцов и Ясина рассказывали мне, и рассказы их практически совпадают.

Дело в том, что, даже если нефтяной бизнес в стране находится в частных руках, совершать крупные нефтяные сделки без ведома и одобрения государства не принято. Двадцать шестого апреля Ходорковский так или иначе проинформировал президента о том, что собирается объединить свою нефтяную компанию с компанией Романа Абрамовича. И так или иначе получил одобрение. Еще, поскольку начиналась предвыборная кампания в Думу, президент попросил Ходорковского, чтоб ЮКОС был вне политики, не финансировал оппозицию. Ходорковский отвечал, что ЮКОС оппозицию не финансирует, а финансирует ее лично он, Ходорковский, из личных своих денег, с которых исправно уплачены налоги. Президент, кажется, согласился, что всякий гражданин России имеет право финансировать какую хочет партию из личных средств, и просил только, чтоб ЮКОС не финансировал коммунистов. Ходорковский ответил, что ЮКОС коммунистов не финансирует, а финансируют их некоторые акционеры ЮКОСа, и тоже из личных средств, и он, Ходорковский, совсем уж ничего не может поделать с коммунистическими взглядами своих акционеров, тем более что всякий гражданин России волен финансировать из личных средств какую хочет партию. Президент согласился.

Казалось, еще немного, и страна изменится. Казалось, усилия Ходорковского в бизнесе, политике и образовании вот-вот сложатся воедино. Он, Ходорковский, станет первым, кто создал большую и прозрачную компанию, неподконтрольную государству, а подконтрольную только международному праву. Он, Ходорковский, станет первым человеком в России, которому удалось консолидировать демократические силы. Он, Ходорковский, станет человеком, который вырастит в России первое свободное и европейски образованное поколение. И главное, президент вроде бы поддерживает его, Ходорковского, во всех этих начинаниях.

Ирина Ясина говорит, что Ходорковский вернулся с этой своей встречи с президентом и долго президента нахваливал. Сотрудники ЮКОСа, наоборот, говорят, что Ходорковского насторожила эта встреча с президентом — президент был подозрительно доброжелателен.

Ходорковский говорил, что президент вроде все понимает: и про борьбу с коррупцией понимает, и про объединение ЮКОСа с «Сибнефтью», и про образование, и про свободу финансировать оппозицию и про то, как важно, чтоб оппозиция была. Ходорковский говорил, что президент, дескать, понимает: впервые в России богатый и могущественный гражданин (Ходорковский) хочет не захватить власть, а освободить себя и других от излишнего давления власти. Говорил, и сам как будто не верил собственным впечатлениям.

— Дело в том,— вздыхает Ирина Ясина,— что Путина в школе КГБ учили вербовке. Людмила Алексеева (известная правозащитница, глава Хельсинкской группы.— В. П.) тоже после встречи с Путиным говорила, будто он все прекрасно понимает про права человека. А Путин просто вербовщик. Он говорит людям то, что люди хотят от него слышать.

В апреле на встрече с президентом Ходорковский хотел услышать, что ему можно стать свободным, и услышал. Но поскольку лишь узнику может быть позволено стать свободным, то, выходит, тогда, в апреле 2003-го, на вершине своего могущества Ходорковский был узником, и до этого всю жизнь был узником. В статье «Собственность и свобода» Ходорковский пишет:

> «...я осознал, что собственность, а особенно крупная собственность, сама по себе отнюдь не делает человека свободным. Будучи совладельцем ЮКОСа, мне приходилось тратить огромные силы на защиту этой собственности. И приходилось ограничивать себя во всем, что могло бы этой собственности повредить.
> Я многое запрещал себе говорить, потому что открытый текст мог нанести ущерб именно этой собственности. Приходилось на многое закрывать глаза, со многим мириться — ради собственности, ее сохранения и приумножения. Не только я управлял собственностью — она управляла мною».

Он, выходит, в 1998 году заметил, что он узник, что государство вольно распоряжаться его судьбой, как хочет: дать богатство или отнять богатство, дать голос или лишить голоса. Но он не думал, будто всякое государство в принципе подавляет всякую свободу. Он думал, что дело в конкретных людях, называвших себя в России 2003 года государством. Дальше в статье «Собственность и свобода» читаем:

> «...дело ЮКОСа — это никакой не конфликт государства с бизнесом, а политически и коммерчески мотивированное нападение одного бизнеса (представителями которого выступают чиновники) на другой. Государство же здесь — заложник интересов конкретных физических лиц, пусть и наделенных полномочиями государственных служащих».

К 2003 году у Ходорковского, кажется, созрел практический план освобождения: независимый бизнес, оппозиция в парламенте, новое свободное поколение. Этот его план действительно можно понять как попытку смены общественного строя, как мятеж, в котором многочисленные узники пытаются получить свободу. Похоже, президент так это и понял, и арест Ходорковского в октябре не был изменением его статуса, а был констатацией: знай свое место, ты узник и всегда был узником. В октябре, когда Ходорковского арестовали, то, что он узник, то, что сам он заметил в 1998 году, заметила вся страна, все люди, мы с вами, до сих пор думающие, будто Ходорковский — в тюрьме, а мы — на свободе.

Помните анекдот про палача, который так виртуозно перерубил приговоренному шею, что голова осталась на месте? И приговоренный спрашивает: «Ну и что?» «А ты головой-то качни»,— отвечает палач. Вы головой-то качните. Попробуйте объединить всех, кто за свободу. Попробуйте выйти из-под контроля государства. Попробуйте отнять у чиновников их коррупционный хлеб. Попробуйте хотя бы воспитать детей свободными, хотя бы своих детей. Попробуйте иметь для всего этого достаточно денег и смелости. Вот сразу и узнаете, кто тут у нас узник.

Леонид Невзлин несколько раз и в разных своих интервью говорил, будто объединение ЮКОСа и «Сибнефти» с самого начала было для Ходорковского ловушкой. В пользу этой версии говорит тот факт, что Абрамович предложил Ходорковскому объединять «Сибнефть» и ЮКОС через две недели после злосчастной презентации о коррупции в Кремле. Можно предположить, что президент лично обиделся на Ходорковского за презентацию о коррупции. Две недели понадобились Абрамовичу, чтобы объяснить президенту или кому-то в администрации президента, как можно элегантно отнять у Ходорковского всю его нефтяную империю. Приблизительно так же, как пытался делать это Кеннет

Дарт. Объединить «Сибнефть» и ЮКОС, получить в объединенной компании блокирующий пакет, потом арестовать акции ЮКОСа, провести собрание акционеров, на котором акции ЮКОСа голосовать не смогут, избрать свой совет директоров и иметь, таким образом, контроль над компанией.

В отличие от Кеннета Дарта, имевшего в союзниках региональную власть, Абрамович получал бы в союзники власть федеральную, и ЮКОС не смог бы спешно к совету директоров вывести из-под ареста свои акции. Дальше можно было бы шантажировать Ходорковского, требовать, чтоб он продал свои акции по заниженной цене или чтоб эмигрировал и получал от Абрамовича дивиденды, не пытаясь проверить, справедливо ли они рассчитываются.

Ходорковский не верит в эту версию Невзлина. Несколько раз в тюрьме Ходорковский говорил и писал, что не считает предложение Абрамовича об объединении ЮКОСа и «Сибнефти» заведомой интригой. Не хочет верить, будто 26 апреля 2003 года президент, одобряя сделку ЮКОС—«Сибнефть», хладнокровно следил, как Ходорковский сам лезет в ловушку и сам ее за собою захлопывает.

Мы, наверное, не скоро узнаем, что случилось в действительности. Мы знаем только, что, едва начав воплощаться, амбициозный план реформации страны, придуманный Ходорковским (независимый бизнес, сильная оппозиция, свободное поколение), пошел наперекосяк.

Уже весной, заявлявшая о своем желании объединиться с «Яблоком», партия СПС начала против «Яблока» войну. В СПС и в «Яблоке» справедливо полагали, что электорат этих партий во многом пересекается. Я, например, до самого дня выборов раздумывал, проголосовать ли мне за СПС или за «Яблоко», и решение принял только у избирательной урны. Много раз с тех пор я встречался с Григорием Явлинским и с Борисом Немцовым: Явлинский думает, будто я голосовал за «Яблоко», Немцов думает, будто я голосовал за СПС, а я не скажу, за кого голосовал на самом деле, потому что на выборах 2003 года я не хотел голосовать ни за «Яблоко», ни за СПС, а хотел голосовать за их объединенную партию, но не было такой партии.

В борьбе за мой голос и голоса таких, как я, в штабе СПС придумали рекламную кампанию «Яблоко без Явлинского», долженствовавшую объяснить избирателю, что идеология лидера «Яблока» Григория Явлинского мало чем отличается от идеологии коммунистов. На улицах появились плакаты, изображавшие Явлинского и лидера коммунистов Геннадия Зюганова вместе. Появились еще плакаты, изображавшие яблоко, на листочке которого написано было «КПРФ». Эти плакаты оплатил штаб СПС. На митинги «Яблока» из штаба СПС присылали молодежь, студентов, но не под флагами СПС, а под красными флагами коммунистов. Это был спектакль, долженствовавший убедить избирателей «Яблока», будто «Яблоко» и коммунисты вместе.

Расчет был неверный. Во-первых, сторонников «Яблока» не слишком напугал возможный союз Явлинского и Зюганова. В конце концов, у меня отец всю жизнь голосует за коммунистов, и я во многом разделяю взгляды отца и проголосовал бы за коммунистов сам, если бы они отказались от сталинской риторики. Во-вторых, сторонники СПС — довольно интеллектуальные люди. Им не составило труда понять, что «черную» пиар-кампанию против «Яблока» ведет штаб СПС. И у СПС стал падать рейтинг.

«Яблоко» приняло вызов: в ответ на враждебные акции СПС штаб «Яблока» стал размещать в газетах заказные статьи про «грабительскую приватизацию», в которой, дескать, виноват Чубайс, про реформу РАО ЕЭС, которую Чубайс, дескать, делает неправильно. Сторонники «Яблока» тоже ведь интеллектуальные люди. Им тоже не составило труда понять, кто поливает Чубайса грязью, и им не понравилась пропагандистская кампания, которую вела против СПС их партия.

Смею думать, что равно избиратели СПС и избиратели «Яблока» хотели бы видеть, как их партии борются за свободу, а видели только, как «Яблоко» и СПС борются за совпадающий во многом электорат, за голоса, за места в Думе.

Слишком много было трусливой политики, слишком мало смысла. В ту избирательную кампанию я писал в газете «Коммерсантъ» репортажи о предвыборных теледебатах. Однажды в студии «Первого телеканала» сошлись поспорить лидер «Яблока» Григорий Явлинский и лидер православной какой-то крохотной партии, запомнившийся только тем, что вместо политической программы зачитывал десять заповедей, а вместо ответов на вопросы тоже зачитывал десять заповедей. Этот человек спросил Явлинского в эфире, как Явлинский относится к абортам и не кажется ли Явлинскому, что аборты — это убийство и, стало быть, люди, разрешающие аборты, преступают заповедь «не убий». Явлинский сказал, что он согласен: действительно, аборты — это убийство.

После эфира мы стояли с Явлинским на лестнице, я курил и размахивал руками:

— Григорий Алексеевич, вы понимаете, что пять минут назад высказались за запрещение абортов?

— Понимаю,— отвечал Явлинский.— Конечно, я против запрещения абортов. Конечно, я понимаю, что, во-первых, женщина имеет право распоряжаться своим телом, а во-вторых, если запретить аборты, то смертей станет не меньше, а больше, потому что аборты будут делать подпольно. Но, Валерий, как же за минуту эфирного времени, которая выделяется мне на ответ, объяснить все это избирателям? Это же не теледебаты, а профанация. Нам дают по минуте на ответ, вместо того, чтоб дать возможность регулярно, регулярно высказываться о важных для страны проблемах.

— Григорий Алексеевич, это, конечно, не теледебаты, а профанация, но вы сейчас все, что думаете про аборты, объяснили мне за четверть минуты. И у меня осталось еще сорок пять секунд, сказать вам, что ни за что не стану я голосовать за партию, выступающую против абортов, хотя жена моя не сделала ни одного аборта в жизни, и для меня было бы трагедией, если бы почему-то пришлось ей сделать аборт.

Не думаю, чтоб Явлинский так уж дорожил лично моим голосом, но, кажется, я убедил его. В следующем телеэфире он нашел повод и высказался против запрещения абортов, приведя те самые аргументы, что приводил мне на лестнице.

Смею думать, что мы, избиратели, от лидеров СПС и «Яблока» ждали смелости, а они думали, будто мы ждем от них лояльности. В статье «Кризис либерализма в России» Ходорковский пишет:

«СПС и „Яблоко" проиграли выборы вовсе не потому, что их дискриминировал Кремль. А лишь потому, что администрация президента — впервые — им не помогала, а поставила в один ряд с другими оппозиционными силами».

Не знаю, так ли это, но точно всю избирательную кампанию СПС и «Яблоко» ждали, чтоб кого-то из них поддержал президент. Чем ближе были выборы, тем больше они этого ждали. Во время очередного раунда дебатов на телеканале НТВ Анатолий Чубайс вдруг слез с трибунки, на которой сидели лидеры СПС, и, не говоря никому ни слова, покинул студию. Как только Чубайс ушел, Ирина Хакамада взяла микрофон и сказала:
— Анатолия Борисовича срочно вызвал президент.

Всякий визит к президенту накануне выборов воспринимался кандидатами в депутаты как поддержка президента, как козырь в предвыборной борьбе.

После эфира в «Кафе-Макс» на первом этаже телецентра «Останкино» Явлинский говорил мне:
— Это же фу! Это холуйство! Вы понимаете, Валерий, это холуйство!

Я вполне понимал, что это холуйство, но через несколько дней президент вызвал к себе и Явлинского, поговорить про ядерные отходы, поскольку на эту тему партия «Яблоко» напирала в своей избирательной кампании.

В телевизоре принято было думать, что вот президент поддержал Явлинского. На следующих теледебатах Явлинского много спрашивали об этом визите и о ядерных отходах. Явлинский говорил в том смысле, что очень содержательно, дескать, они с президентом поговорили про ядерные отходы, и очень это важная тема.

А я сидел в студии позади телекамер и ждал, скажет ли Явлинский, чей это в России бизнес — переработка ядерных отходов. Я ждал, что вот сейчас Явлинский достанет документы и расскажет на всю страну, чей именно это бизнес, и не служит ли человек, занимающийся переработкой ядерных отходов, в администрации президента. Я ждал, что Явлинский будет так же смел, как смел был Ходорковский, на всю страну рассказывая о коррупции и на всю страну и в присутствии президента произнося слова «Северная нефть». Но нет. Явлинский никого высокопоставленного не обвинил в связях с переработкой ядерных отходов, никого высокопоставленного не обвинил в коррупции, не предъявил никаких сенсационных документов, а просто говорил — толково, но не страшно — о ядерных отходах и о коррупции. Может быть, у него не было сенсационных документов? А может быть, банально боялся.

Летом рейтинги СПС и «Яблока» упали ниже пяти процентов, и опасность не пройти в Думу стала реальной. Ходорковский тогда пытался СПС и «Яблоко» помирить. По просьбе Ходорковского составлено было даже письмо «О прекращении войны», для внутреннего пользования. Письмо это должны были подписать Явлинский и Чубайс, но сначала отказывался один, потом отказывался другой. Партия СПС разделилась надвое. Фактически было два штаба. Один штаб во главе с Борисом Немцовым выступал за прекращение войны. Другой штаб во главе с Леонидом Гозманом нарочно, говорят, создан был Анатолием Чубайсом, чтоб воевать с «Яблоком». Говорят в Думе, в кабинете Немцова было совещание штаба СПС о прекращении войны с «Яблоком», и Анатолий Чубайс на этом совещании высказался в том смысле, что лучше пусть мы не пройдем в Думу, лишь бы «Яблоко» не прошло. На деньги Ходорковского партии СПС и «Яблоко» воевали друг с другом и в конце концов друг друга погубили. В самом конце избирательной кампании СПС прекратила вдруг войну с «Яблоком» и принялась воевать с блоком «Родина». У «Родины» немедленно рейтинг полез вверх.

Теперь давайте спросим: 26 апреля, когда президент встречался с Ходорковским и признал право Ходорковского финансировать оппозицию, предполагал ли президент, что на деньги Ходорковского оппозиционные партии уничтожат друг друга, или это просто по глупости так получилось?

В мае 2003-го Совет по национальной стратегии, руководимый политологом Станиславом Белковским, опубликовал доклад «Государство и олигархия». В докладе говорилось, что крупный бизнес в России слишком много получил власти. И так выходило из доклада, что для стабильности в стране опаснее других крупных бизнесменов — Михаил Ходорковский, финансирующий политические партии. Что вот сейчас Ходорковский проведет в Думу своих людей по спискам «Яблока», СПС, коммунистов и «Единой России», а потом верные Ходорковскому депутаты изменят Конституцию, передадут полномочия президента премьер-министру и назначат премьер-министром Ходорковского. Как бы само собой в докладе предполагалось, что президентских выборов Ходорковский выиграть не может, поскольку никогда народ не выберет прямым тайным голосованием богача и еврея. А раз не может выиграть выборов, то решил, стало быть, изменить под себя Конституцию и назначить себя главой страны.

Если был у Ходорковского план изменить в России общественный строй, создав независимую компанию и финансируя оппозицию, то план этот теперь начал работать против Ходорковского. Ходорковский, кажется, попал-таки в ловушку. Он хотел финансировать оппозицию, но оппозиция на его деньги уничтожала себя. Чтобы финансировать оппозицию, сохраняя при этом необходимую для бизнесмена лояльность по отношению к власти, Ходорковский вынужден был финансировать и правящую партию «Единая Россия», поскольку ни один богатый человек в России не смеет отказать в финансировании правящей партии. А дальше его же и обвинили в том, что он финансирует всех, то есть собирается узурпировать власть.

В молодом российском бизнесе подобные ловушки назывались раньше термином «развести лоха». «Развести лоха» — значит заставить конкурента за свои же деньги себе же и навредить. А потом можно вдобавок обвинить конкурента во вредительстве.

Давайте еще раз спросим: 26 апреля, встречаясь с Ходорковским, президент предполагал ли, что финансирование оппозиции приведет оппозицию к самоуничтожению? Знал ли уже, что Ходорковский будет обвинен в финансировании всех политических партий и попытке захватить власть? Иными словами, «разводил» ли «лоха», или случайно так обернулись события?

В июне был арестован Пичугин. Начались обыски. В июле был арестован Лебедев. Рейтинги СПС и «Яблока» падали. Перспектива превратить компанию «ЮКОС-Сибнефть» в транснациональную корпорацию становилась все более призрачной, поскольку трудно обменять акции своей компании на акции кого-то из мировых нефтяных мейджоров, если против твоей компании ведется следствие.

Из многочисленных обысков по «делу ЮКОСа» самым тяжелым для Ходорковского был, пожалуй, обыск в лицее-интернате «Коралово» 3 октября 2003 года. Этот обыск совпал (случайно ли?) с очередной встречей президента с промышленниками и предпринимателями. Ходорковскому сообщили, что у его родителей обыск, и он вынужден был покинуть встречу.

Мать Ходорковского Марина Филипповна рассказывает:

— Я вдруг увидела на территории лицея вооруженных людей в масках. Я думала, это террористы, или преступников ловят. Значит, на территории лицея преступники. Я побежала прятать детей...

Отец Ходорковского Борис Моисеевич рассказывает:

— Они изъяли сервер. Старый менатеповский сервер, который привезли просто, чтоб дети учились, чтоб знали, что такое сервер и как он работает. — Борис Моисеевич сидит в кресле в гостиной офисного домика, курит и говорит: — А вечером по телевизору прокурор эта Вишнякова сказала, что на сервере была какая-то секретная информация, какие-то схемы ухода от налогов. А дети ведь знают этот сервер, они ведь облазили его весь. Дети смотрели телевизор и кричали, что прокурор врет. «Она же врет!» — дети кричали. И как мне теперь, скажи, воспитывать у детей патриотизм? Как, нет, ты скажи, как мне воспитывать у них уважение к закону, если они видели представителя закона и кричали про представителя закона «Она же врет!». Ты девиз на входе в школу видел? Как мне теперь сделать, чтоб дети верили этому девизу?

Девиз на входе в школу гласит: «Честь и Отечество».

Ходорковский пишет мне из тюрьмы:

«Я искренне не стремился стать политиком. Более того, был уверен (и сейчас уверен) — руководитель крупнейшего предприятия может не суметь быть мэром маленького города. Это просто другая работа. Я хорошо разбираюсь в экономике, управлении и люблю вопросы образования. Моя мечта была, после ЮКОСа — университет. Политика из меня делает жизнь, делает через не хочу, через ответственность за поверивших. Если бы можно было перевалить эту ответственность на кого-нибудь. Она давит и душит. И сбросить нельзя. Передать, если кто возьмет — можно, а сбросить — предательство. Не могу».

Несмотря на то что дела явно шли наперекосяк, Ходорковский продолжал воплощать свой план. Продолжал работать над объединением ЮКОСа и «Сибнефти», продолжал давать деньги «Яблоку» и СПС, продолжал финансировать образование и вошел в попечительский совет Российского государственного гуманитарного университета, притом что Невзлин стал в этом университете ректором.

Летом еще Ирина Ясина говорила Ходорковскому:

— Миша, тебя посадят.

— Не посадят, отвечал Ходорковский, они не враги своей стране.

Осенью уже Борис Немцов приехал к Ходорковскому в Жуковку, они прогуливались по дорожке вокруг поселка (видимо, спортивным шагом) и Немцов спросил Ходорковского:

— Ты сесть не боишься?

Ходорковский промолчал.

— А ты умереть не боишься?

Ходорковский промолчал еще раз.

Двадцать пятого октября Ходорковского арестовали.

Тридцатого октября президент Путин подписал указ об увольнении руководителя своей администрации Александра Волошина. Рассказывают, будто Александр Волошин как-то резко высказался против ареста Ходорковского. Но еще рассказывают, будто владелец компании «Сибнефть» Роман Абрамович через третьих лиц (эти «третьи лица» и рассказывают) предложил, чтобы заключенный Ходорковский ради спасения объединенной компании «ЮКОС-Сибнефть» передал управление компанией ему, Роману Абрамовичу. Абрамович обещал, что в этом случае председателем совета директоров станет бывший глава администрации президента Александр Волошин. Не для того ли Волошин и был уволен?

Но заключенный Ходорковский не распоряжался компанией. Он передал управление группой МЕНА-ТЕП, владевшей акциями ЮКОСа, Леониду Невзлину. Через третьих лиц (эти «третьи лица» и рассказывают)

Невзлин, эмигрировавший уже к тому времени в Израиль, выдвинул Абрамовичу условие: «Отпустите Мишу, и тогда забирайте компанию». Абрамович отвечал через третьих лиц, что не может повлиять на освобождение Ходорковского.

Вот поэтому Ходорковский и не верит в версию Невзлина о том, что предложенная Абрамовичем сделка ЮКОС—«Сибнефть» изначально была ловушкой, придуманной, чтоб захватить компанию. Если бы Абрамович действительно договорился с властью отнять у Ходорковского ЮКОС, то предложил бы Ходорковскому в обмен на отказ от ЮКОСа свободу или хоть что-нибудь.

Адвокат Антон Дрель говорит, что сразу после ареста ему стали звонить десятки мелких и крупных проходимцев, утверждавших, будто у них связи на самом верху и будто они могут договориться об освобождении Ходорковского. Но все это были шарлатаны. Если верить Антону Дрелю, за все время, прошедшее со дня ареста Ходорковского, ни одного серьезного предложения о переговорах не поступило Ходорковскому в тюрьму из администрации президента.

Первые налоговые претензии компании ЮКОС были предъявлены через месяц после ареста Ходорковского. То ли медленно готовила документы налоговая служба, то ли давала Роману Абрамовичу время на переговоры с Леонидом Невзлиным.

Говорят, Абрамович и Невзлин встречались даже лично. Но Невзлин отказался рассказывать мне про эту встречу.

Сразу после ареста Ходорковский уволился со всех своих должностей в ЮКОСе, пытаясь таким образом отделить свою судьбу от судьбы компании и спасти компанию от разрушения. Не важно кто, Абрамович или власть, поначалу хотели, вероятно, забрать компанию целиком, но Невзлин отказался отдать компанию, и компания была разрушена.

В общей сложности налоговая служба, недавно еще называвшая ЮКОС лучшим налогоплательщиком, предъявила компании претензий на сумму 27,8 миллиардов долларов. Эти деньги ЮКОС готов был заплатить лет за десять, распродав непрофильные активы и отдавая каждый год 80% прибыли. Но арестованы были счета ЮКОСа, компания лишилась возможности экспортировать нефть.

Новый глава ЮКОСа Семен Кукес, пытаясь спасти компанию, вел переговоры с некоторыми членами правительства и утверждал даже, будто нашел в правительстве понимание. Но к 2004 году президент Путин отправил правительство в отставку, а в новое правительство не вошел ни один из бывших министров, с которыми вел переговоры Семен Кукес.

Роман Абрамович расторг сделку ЮКОС—«Сибнефть». Компания ЮКОС пошла с молотка, причем по частям. Добывающая половину нефти ЮКОСа и представленная буквой «Ю» в названии компания «Юганскнефтегаз» куплена была зарегистрированной в Твери фирмой «Байкалфинансгрупп». Раньше о существовании этой фирмы никто не слышал, кроме президента Путина, заявившего, будто он знает людей, владеющих компанией «Байкалфинансгрупп», и они, эти люди, давно работают в энергетике. Правда, утверждая, что давно знает компанию, купившую «Юганск», президент не мог вспомнить названия этой компании, которую он давно знает. А по юридическому адресу компании «Байкалфинансгрупп» в Твери находится рюмочная «Лондон».

Через пару недель после покупки «Юганска» компанию «Байкалфинансгрупп» купила государственная компания «Роснефть», курируемая заместителем главы администрации президента Игорем Сечиным. И вот поэтому тоже Ходорковский не верит, будто сделка ЮКОС—«Сибнефть» изначально была придуманной Абрамовичем ловушкой. Считается, что Абрамович и Сечин — враги. Возможно, впрочем, что Абрамович начал захватывать ЮКОС, а Сечин перехватил. Это же такие шахматы, в которые много соперников одновременно играют фигурами всех цветов радуги. Возможно, что, получив ЮКОС, государство с самого начала рассчитывало купить еще «Сибнефть» у Абрамовича и стать транснациональной нефтяной компанией. Так или иначе, в результате всей этой истории власти у президента Путина стало больше, а свободы у граждан России — меньше, еще меньше.

После ареста Ходорковского лидер «Яблока» Григорий Явлинский сказал газете «Время новостей»:

«Я оцениваю действия Генпрокуратуры как совершенно неадекватные и избыточные, а общую политическую линию — как репрессивную. ...Установившаяся в России система неэффективна по существу, она не может решить глобальных экономических задач. Но замена одного олигарха Ходорковского другим — Петровым, Сидоровым, а уж тем более Ивановым — не решит этой проблемы».

Лидер СПС Анатоли Чубайс сказал телевизионной программе «Время»:

«Российский бизнес считает, что действия правоохранительной системы страны и ее руководителей резко ухудшили атмосферу в обществе, практически подорвали доверие бизнеса к правоохранительной системе в целом и ее руководителям».

Эти слова лидеров оппозиции не назовешь смелыми. Их не назовешь решительной поддержкой арестованного товарища. Но, проиграв выборы, глава штаба СПС Альфред Кох скажет, что не надо было выражать Ходорковскому и такой поддержки. Альфред Кох всерьез будет полагать, что если бы СПС не поддержала Ходорковского вовсе и проявила себя как партия предателей, ее бы избрали в Думу. Может быть, он прав. Может быть, успешному политику положено быть предателем и трусом.

Во всяком случае, университетские профессора оказались смелей политиков. Четырнадцатого ноября министр образования Владимир Филиппов приехал в РГГУ требовать, чтоб ученый совет уволил Леонида Невзлина с поста ректора. Причин для увольнения министр видел две: во-первых, Невзлина давно не было на рабочем месте, во-вторых, Невзлин — гражданин Израиля и может выдать Израилю государственные тайны, которыми во множестве располагают ученые Гуманитарного университета. Профессор Лев Тимофеев сказал тогда: «Я по лагерю помню, как людей ломает, давит власть. Не хотелось бы повторить все это в нынешней России». Профессор Юрий Афанасьев, президент университета сказал: «Негоже гнать гонимого и ложиться под прокуратуру». Университет отказался увольнять Невзлина. Невзлин уволился сам, чтоб отвести репрессии от университета.

Четырнадцатого декабря были выборы в Думу. Партия СПС не прошла пятипроцентный барьер. Я был ночью после выборов в штабе СПС. Когда стало известно о поражении и надо было выйти к прессе, Борис Немцов послал своего шофера в машину за коробочкой грима. Немцов, кажется, плакал.

Григорию Явлинскому позвонил в ночь после выборов президент Путин и поздравил с прохождением пятипроцентного барьера. В штабе «Яблока» я тоже был. Там начали праздновать. Но к утру выяснилось, что данные президента неверны, и «Яблоко» тоже не прошло пятипроцентный барьер и тоже не попало в Думу.

Если и был у Ходорковского в 2003 году план изменить в России общественный строй, то план этот провалился по всем статьям. Компания ЮКОС, вместо того чтоб стать независимой от государства, была государством раздавлена и захвачена. Оппозиция, вместо того чтоб победить на деньги Ходорковского, уничтожила себя на эти деньги. Студенты РГГУ и школьники «Коралова» получили уроки подлости и лжи. Сам Ходорковский, с 1998 года ощущавший себя узником метафорически, стал узником реально.

И без всякой надежды на правосудие.

ГЛАВА 11

ВЕРСИЯ ЗАЩИТЫ

Дело Ходорковского рассматривали в Мещанском суде города Москвы. Обвинение возглавлял прокурор Шохин, защиту — адвокат Падва. Приговор выносила судья Колесникова. Пока шел судебный процесс, и особенно когда судья зачитывала приговор, у дверей суда стояли пикеты за Ходорковского и пикеты против, а по всем телевизионным каналам показывали документальные фильмы про дело ЮКОСа.

Примечательно, что пикетчики приходили к зданию суда вовсе не для того, чтобы выразить свое согласие или несогласие с обвинением. Они были за или против Ходорковского лично, за или против судебного разбирательства как такового.

Сторонники Ходорковского говорили мне, что хотели бы выйти к зданию суда с политическими лозунгами. Они хотели бы обвинить власть в произволе и авторитаризме, поскольку произвол и авторитаризм на примере Ходорковского проявились. Политических плакатов не было только потому, что городские власти не разрешили сторонникам Ходорковского устраивать пикет с политическими плакатами. На плакатах было написано «Свободу МБХ» или «Ходорковский go home», но никак не объяснялось, почему именно суду следовало отпустить Ходорковского на свободу. Я, во всяком случае, ни разу не видел на пикетах лозунга «Ходорковский невиновен!». Кажется, подобных лозунгов не допускали московские власти, выдававшие разрешение на пикет.

Противники Ходорковского писали на своих транспарантах: «Ходор, твои деньги пахнут кровью», хотя в суде ни слова не говорилось про кровь. Или еще был плакат: «Путин, защити нас от убийц», хотя в суде ни Ходорковского, ни Лебедева не обвиняли в убийствах, да и президент Путин в зале суда ни разу замечен не был.

Когда зачитывали уже приговор, к зданию суда приехали вдруг дорожные рабочие и развалили асфальт, так что пикетчики были вынуждены переместиться на сотню метров в сторону. Ходорковский в зале суда не слышал больше с улицы ни поддержки, ни хулы, и только спрашивал адвокатов, много ли там на улице молодежи, то есть выросло ли это его «свободное поколение». Молодежи было много, человек тридцать.

Иногда на пикет в поддержку Ходорковского приходили политические знаменитости: один из лидеров партии «Яблоко» Сергей Митрохин или переквалифицировавшийся в оппозиционные политики бывший чемпион мира по шахматам Гарри Каспаров. Однажды их обоих задержали без всяких законных оснований. Сергея Митрохина милиционеры волокли в автобус по земле лицом вниз, а Митрохин кричал милиционерам: «Все сидеть будете!»

С противниками Ходорковского поговорить было нельзя. Они не разговаривали с журналистами и вообще не разговаривали, утверждая, что все их политические взгляды изложены на транспарантах. Время от времени про этих людей, просивших президента Путина защитить их от запертых в клетку Ходорковского и Лебедева, всплывала компрометирующая информация. Например, один человек, подрабатывавший в массовке «Мосфильма», пришел однажды на пикет сторонников Ходорковского и сообщил, что ему звонили с «Мосфильма» и предлагали деньги, чтоб присоединиться к пикету противников Ходорковского. С тех пор сторонники Ходорковского стали считать противников Ходорковского мосфильмовской массовкой.

В другой раз помощница Гарри Каспарова Марина Литвинович, проезжая по улице Лубянка, случайно увидела и сфотографировала, как из одного из зданий ФСБ выносили плакаты типа «Ходор, твои деньги пахнут кровью». С тех пор все сторонники уверены, что плакаты против Ходорковского придумывают в ФСБ.

Когда Ходорковского осудили наконец на девять лет лагерей, сторонники его устроили возле здания суда последний пикет — символические похороны правосудия. Я пришел. По одну сторону дороги плакаты ликовали в том смысле, что вот правосудие свершилось.

По другую сторону дороги люди повязывали на металлические секции милицейского ограждения траурные ленточки в том смысле, что вот правосудие умерло. Я пошел туда, где траурные ленточки.

Милицейский полковник говорил пикетчикам:

— Вы не имеете права использовать ограждение для повязывания ленточек. У вас нет в разрешении на пикет такого пункта, что можно использовать для наглядной агитации милицейское ограждение.

— А почему им,— молодой человек из сторонников Ходорковского кивал через улицу на противников Ходорковского,— почему им можно использовать милицейское ограждение? Почему они развешивают на милицейском ограждении плакаты, а нам нельзя?

— Ну, может, у них иначе оформлено разрешение, я же не знаю,— парировал полковник.

Я спросил:

— Скажите, полковник, в разрешении на пикет запрещено ли повязывать ленточки на милицейское ограждение?

— Не запрещено,— полковник растерялся.

— Но мы ведь живем в свободной стране. Все, что не запрещено, то разрешено, не правда ли?

Полковник подумал минуту и сказал:

— У вас в разрешении на пикет написано, что вы обязаны исполнять требования сотрудников правоохранительных органов. И я, сотрудник правоохранительных органов, требую, чтоб вы сняли траурные ленточки с милицейского ограждения.

— В разрешении написано, что мы обязаны выполнять законные,— я сделал ударение на слово «законные»,— требования сотрудников правоохранительных органов. И приказ снять наши ленточки с милицейского ограждения мы считаем незаконным.

В подобных мелочных препирательствах с милицией пикетчики проводили часы и дни. Когда приговор был оглашен, у Соловецкого камня в Москве собрался большой митинг в поддержку Ходорковского. Получая разрешение на митинг, организаторы его заявляли, что придет две тысячи человек. Государственные телеканалы сказали, будто пришло не больше двух сотен. Одновременно милиция привлекла организаторов митинга к административной ответственности за превышение заявленного числа участников митинга.

Государственное телевидение старалось. Телеведущий Леонтьев открыто обвинял Ходорковского в попытке узурпировать власть, хотя суд не обвинял Ходорковского ни в чем подобном. Телеведущий Караулов пугал своего зрителя, что в день оглашения приговора, дескать, сторонники Ходорковского готовят мятеж, хотя суд не вменял Ходорковскому и его сторонникам в вину организацию мятежа.

Пикеты возле суда и телевизионные программы, посвященные процессу над Ходорковским, выглядели так, будто процесс этот политический, будто Ходорковский там, в зале суда, произносит пламенные речи и клеймит позором обвинителей и судей, а обвинители, в свою очередь, клеймят позором Ходорковского. Но на самом деле — нет. Процесс был чисто хозяйственный. Обвинение доказывало, что Ходорковский украл много денег. Защита доказывала, что Ходорковский ничего не украл. И этот процесс Ходорковский проигрывал заведомо. Возглавлявший защиту Ходорковского адвокат Генрих Падва говорит:

— Первичное накопление капитала во всем мире, смею утверждать, во все времена, всегда связано с нарушением закона. Дело в том, что закон, к которому я как юрист испытываю всяческое уважение и подчиняться которому я всех призываю, является тормозом прогресса. В революционные эпохи, когда жизнь меняется быстро, законы тоже принимают быстро, чтобы жизнь не остановилась. Новые законы неизбежно вступают в противоречие со старыми. Мы, юристы, ужасно мучились в девяностые годы. Каждый новый закон противоречил какому-нибудь другому, или был плохо сформулирован, и нельзя было понять его однозначно.

В этих условиях что бы ни делал предприниматель, особенно настоящий предприниматель, смелый, с новыми идеями, с размахом, с фантазией — он неизбежно нарушал те или иные законы.

Я сижу в кабинете Генриха Падвы. Он пожилой человек в хорошем костюме. У него адвокатская контора на Сретенке. Маленький кабинет со старинной мебелью, главный элемент которой — шкаф, заставленный юридическими книгами. Генрих Павлович эпизод за эпизодом представляет мне весь процесс над Ходорковским и терпеливо разъясняет, почему Ходорковский не виновен ни по одному из пунктов обвинения. Только у адвоката Падвы грустные глаза при этом. Он вздыхает:

— Ко мне пришел некто и сказал, что Михаил Борисович Ходорковский просит, чтобы я его защищал. Я спросил, понимает ли Михаил Борисович, что в этом деле все адвокаты нашей страны, вместе взятые, не смогут помочь. Некто ответил, что Михаил Борисович понимает это, и просто хотел бы, чтобы в суде прозвучал голос правды.

Теперь следите внимательно. Ходорковскому в суде не вменяют в вину те преступления, которые вменяет ему в вину воспитанное телевизором общественное мнение. Ходорковский получил девять лет лагерей вовсе не за то, в чем вы, читатель, возможно, считаете его виновным. Суд не винит Ходорковского в якобы организованных им заказных убийствах. Суд не винит Ходорковского в том, что он якобы слишком дешево купил компанию ЮКОС.

Девять лет лагерей Ходорковский получил главным образом за уклонение от уплаты налогов. Прокуратура утверждает, будто ЮКОС создавал посреднические компании в закрытых городах, где действовали налоговые льготы. Города эти называются закрытыми территориальными образованиями — ЗАТО. Посредническим компаниям, зарегистрированным в ЗАТО, ЮКОС продавал нефть на 20% дешевле рыночной цены, а посреднические компании потом продавали нефть по рыночной цене. Таким образом, ЮКОС освобождал от налогов 20% своих прибылей, миллиарды долларов. Так утверждает прокуратура, и суд с прокуратурой соглашается. Защита же утверждает, что такой способ платить поменьше налогов был тогда абсолютно законным. Все нефтяники продавали и продолжают продавать свою нефть через посреднические компании, освобожденные от налогов. Если бы Ходорковский и захотел не пользоваться услугами посреднических компаний в закрытых городах, это было бы невозможно. ЮКОС проиграл бы тогда в конкурентной борьбе. Его нефть стоила бы тогда на 20% дороже нефти конкурентов. Более того, ЮКОС мог бы сократить свои налоги еще на 10%, если бы в посреднических компаниях работали или числились работающими инвалиды. Но Ходорковский посчитал неэтичным использовать подставных инвалидов, тогда как конкуренты использовали и их для уклонения от уплаты налогов.

Защита говорила в суде, что даже если бы юкосовские схемы ухода от налогов и были незаконными, то личная причастность Ходорковского и Лебедева к организации этих схем никак не доказана обвинением. Например, утверждая, что Ходорковский и Лебедев контролировали посреднические фирмы в ЗАТО, прокуратура приводит письмо (т. 79 л. д. 124 уголовное дело №1–33/05) за подписью Платона Лебедева. Письмо это предписывает директорам посреднических компаний перевести деньги в некий доверительный и инвестиционный банк. Дело только в том, что в письме этом нет подписи Платона Лебедева.

— Как нет подписи? — спрашиваю я.

— Вот так,— Падва улыбается.— Это письмо писал не Лебедев, и мы обращали внимание суда на то, что в письме, про которое обвинение говорит, будто оно за подписью Лебедева, нет подписи Лебедева.

— И что суд? — спрашиваю.

— Суд не обратил внимания. В приговоре тоже говорится про письмо за подписью Платона Лебедева (т. 79 л. д. 124 уголовное дело №1—33/05). А подписи Лебедева нет в этом письме. Копия письма вот она,— Падва протягивает мне копию письма и копию тех листов приговора, где говорится, будто в письме этом есть подпись Лебедева. Подписи нет.

Дальше прокуратура утверждает, и суд с прокуратурой соглашается, что оптимизированные через посреднические компании налоги Ходорковский не платил «живыми» деньгами, а платил векселями, при том что платить налоги векселями запрещено законом.

— В новом налоговом кодексе,— говорит Генрих Падва,— действительно написано, что налоги можно уплачивать только «живыми» деньгами. Это значит, что нельзя на суммы налогов дать государству какой-нибудь товар. Но в конце девяностых и начале двухтысячных годов, если помните, в экономике царил бартер. У развивающихся предприятий денег не хватало. И от того, что закон вступил в силу, у предприятий не появилось же денег. Не выдали же всем предприятиям денег, чтоб платили налоги. А они хотели платить налоги и не хотели быть преступниками. И вот в подавляющем большинстве случаев предприятия начали расплачиваться векселями. Вексель — это документ, ценная бумага, в котором человек признает, что должен налогов на такую-то сумму и готов оплатить их по первому требованию. Государство во всех регионах страны принимало векселя, потому что понимало: лучше получить вексель, чем не получить ничего. Предприятия, подконтрольные ЮКОСу, заплатили так в 1999 году, и государство эти векселя зачло, а теперь суд говорит, что это было уклонением от уплаты налогов. Это не было уклонением от налогов, ЮКОС не отказался платить налоги, признал их и уплатил так, как мог на тот момент.

— Так векселя были погашены или нет? — спрашиваю я.

— Вы хотите спросить, не было ли тут обмана? Дали векселя, а потом не оплатили их? Так вот мы по каждому векселю документально подтвердили, что тогда-то и тогда-то они были оплачены. Большинство этих векселей были оплачены деньгами. Не оплачены были только те векселя, которые государство пустило в оборот.

— А по телевизору говорили,— возражаю я,— что ЮКОС дал государству какие-то бумажки.

— Это правильно, если ценные бумаги называть бумажками. Видите ли, ценные бумаги — это такие бумажки, которые имеют рыночную цену. Как бы вам объяснить. Например, вы хотите купить у меня книгу. Она стоит сто рублей. Но у вас нет ста рублей, а есть вексель, подписанный вашим другом, который известный и богатый человек. Вы говорите: возьмите вексель на сто рублей. И я беру. Нормальный вексель. Я беру его вместо денег. Если этот вексель ликвидный, то ради бога. И вексель-то остался у государства. Большинство векселей оплачено, и неоплаченные могут быть всегда представлены к оплате.

Мы разговариваем с Генрихом Падвой дальше. Он растолковывает мне эпизоды этого многотомного уголовного дела, как ребенку, старясь говорить медленно, и приводить примеры, чтоб я лучше понял. Он говорит, что еще Ходорковский осужден за неуплату личных налогов в несколько миллионов долларов. Дело в том, что до 2001 года личные налоги в России составляли не 13% дохода, как сейчас, а рассчитывались по прогрессивной шкале. Чем больше зарабатывал человек, тем больший процент налогов платил. И у Ходорковского, помимо доходов от ЮКОСа, было еще много доходов. Например, западные предприниматели просили Ходорковского проконсультировать их по поводу российской экономики и политики и оплачивали эти консультации. Учесть все подобные гонорары и внести их все в налоговую декларацию было Ходорковскому непросто. Тогда он зарегистрировался в налоговой службе как предприниматель без образования юридического лица и стал платить с побочных своих доходов фиксированный налог. А в 2001 году, когда ввели 13-процентный налог на личные доходы, Ходорковский снялся с учета в налоговой службе и получил справку, что к нему лично нету у налоговой службы никаких претензий. Теперь обвинение утверждает, будто Ходорковский не получал гонораров за консультации, а получал под видом гонораров юкосовскую свою зарплату.

— Мы предлагали суду,— говорит Падва,— вызвать некоторых людей, которые обращались к Михаилу Борисовичу за консультациями. Суд посчитал нецелесообразным вызывать их. Некоторых людей, которым Ходорковский давал консультации, он отказался назвать в суде. Договор его с этими людьми предполагал, что консультации оказываются конфиденциально. Он просто не может их назвать, это нарушение договора. Но это не главное.

— Что главное? — спрашиваю.

— Главное,— говорит Падва,— что Михаил Борисович тратил личных денег на благотворительность в десятки раз больше, чем вменяется ему неуплаченных личных налогов. Где логика? Зачем человеку скрывать от налогов миллион, если он тратит на благотворительность десять миллионов?

Мы разговариваем долго. Время от времени в кабинет к Генриху Падве заходит молодая женщина-адвокат. Помощница? Сотрудница? Она приносит некие документы и вместе с Падвой дотошно правит их пункт за пунктом, так что понимаешь: работа адвоката сродни не поэтическому поиску истины, а похожа на бухгалтерию. На процессе Ходорковского адвокат Падва выступал с речью двое суток. Речь не была похожа на стихи, доводы обвинения не были опрокинуты сабельной атакой, скорее передушены методично, как душат блох.

Прокурор, например, вменял Ходорковскому в вину растрату денег ЮКОСа (то бишь денег акционеров). Деньги пошли на помощь компании «Медиа-Мост». Защита возражала, что, во-первых, Ходорковский — крупнейший акционер ЮКОСа, то есть, если и растратил деньги, то в основном свои. Во-вторых, говорили адвокаты, вот что было на самом деле. Совет директоров ЮКОСа, где большинство составляют иностранные специалисты, не подсадные, а реальные, которых тяжело коррумпировать, приняли решение дать кредит компании «Медиа-Мост». Государство тогда нарочно разоряло владельца «Медиа-Моста» Владимира Гусинского, чтоб получить контроль над его телеканалом НТВ. Это доказано в международном суде. Чтобы избежать разорения, «Медиа-Мост» попросил у ЮКОСа кредит, а в залог предложил ЮКОСу свое здание в Палашевском переулке. Кредит был дан, но оказался недостаточным. Гусинского все равно разорили. Отдать денег он не смог, ЮКОС получил в счет долгов здание на Палашевке. Акционеры ЮКОСа не считают, что им был нанесен ущерб. Ходорковский до сих пор жалеет, что ЮКОС мало помог тогда Гусинскому. В документах, сопровождающих кредит, выданный «Мосту» ЮКОСом, нет ни одной подписи Ходорковского.

— Теперь еще один важный момент,— говорит Падва.— Хищение акций у «Апатита». Это 1994 год, приватизация. Конечно, в этот период было множество искажений закона, хотя бы потому, что сами законы были невнятны и противоречивы. Я, будучи в девяностые годы действующим юристом, не мог тогда и не могу сейчас разъяснить, как точно в соответствии с законом должна была происходить приватизация.

— То есть по закону эпизод с «Апатитом» рассудить нельзя?

— Нельзя.

— А по справедливости?

— По справедливости тоже нельзя. Прошел срок давности. Это не юридическая придирка, просто чем больше проходит времени, тем труднее установить истину. Я думаю, дело было так. «Апатит» был крупнейшим заводом, и он приходил в упадок. Он был, что называется, градообразующим предприятием. Ситуация была на грани забастовок и бунтов, рабочие месяцами не получали денег, то есть целый город месяцами не получал зарплату. Завод был в долгах перед железной дорогой и энергетиками, не мог производить достаточного количества апатита, чтоб быть рентабельным. Государство перестало давать заводу деньги, предложило руководству завода работать на самоокупаемости, а руководство не знало, как это — работать на самоокупаемости. И вот Банк МЕНАТЕП решил спасти этот завод, не без выгоды для себя, разумеется. Поэтому МЕНАТЕП дал гарантии за несколько компаний, участвовавших в конкурсе на приобретение акций «Апатита».

— Зачем,— спрашиваю,— несколько компаний?

— Вообще по закону в то время конкурс был бы возможен, даже если бы в нем участвовало и одно предприятие.

Это Генрих Павлович Падва уходит от ответа. На самом деле несколько компаний, принадлежавших МЕНАТЕПу, участвовали в конкурсе для того, чтобы наверняка получить завод и по возможности сбить цену. Грубо говоря, МЕНАТЕП одновременно предложил государству от лица разных своих компаний очень много, много, немного и совсем мало денег. Государство, разумеется, отдало завод той менатеповской компании, которая предложила очень много денег. Но когда результаты конкурса были опубликованы, компания-победитель отказалась от завода «Апатит». По закону в этом случае завод доставался компании, предложившей просто много денег. Но и она, в свою очередь, отказалась от завода. В итоге завод достался компании «Волна», предложившей мало денег. Это, конечно, был трюк, но трюк в 1994 году вполне законный.

— Это был инвестиционный конкурс,— продолжает Падва,— то есть, кто больше пообещает инвестировать в завод, тот и выигрывает. В итоге конкурс выиграла эта «Волна» пресловутая. Ради бога. Она приобрела акции. Деньги на приобретение акций «Апатита» «Волне», конечно, дал МЕНАТЕП. «Волна» уплатила до копейки все деньги, которых стоили акции. Потом возник вопрос об обещанных инвестициях. И, во-первых, сразу же были даны какие-то суммы. Во-вторых, погашены были долги перед железной дорогой и энергетиками. В-третьих, погашены были долги по зарплате. В-четвертых, Ходорковский лично дал обещание, что ни один человек с «Апатита» уволен не будет, никто не потеряет работу. И ни один человек с «Апатита» уволен не был.

В суде допрашивали бывшего губернатора, и тот сказал: «Ходорковский спас от социального взрыва область. Был бы ужас иначе». Но в инвестиционной программе было сказано, что «Волна» должна вложить в «Апатит» столько-то денег, потом еще столько-то, потом еще столько-то. Этих денег вкладывать не стали. Потому что во главе стоял директор, который не умел хозяйственно распоряжаться деньгами. Я не говорю, что он воровал. Просто он был советский директор, умел выбивать деньги у государства, но не умел тратить их эффективно на благо предприятия.

«Апатиту», например, требовалось огромное количество мазута для работы, так вот МЕНАТЕП не давал заводу деньги, чтоб завод сам этот мазут приобретал бог знает где и по каким ценам, а поставлял мазут непосредственно «Апатиту». Нужны были станки? МЕНАТЕП давал и станки. То есть МЕНАТЕП занимался организацией производства на заводе «Апатит», инвестируя не деньгами, а натурой: станками, мазутом. И завод заработал. И стал теперь прекрасным рентабельным заводом, который выпускает огромное количество апатитового концентрата. Там была социальная программа. Предполагалось, что завод получит деньги на строительство троллейбусной линии. МЕНАТЕП денег заводу на троллейбусную линию не дал, но сам ее построил. Теперь говорят, будто Ходорковский и Лебедев украли инвестиции.

— Эти поставки мазута, станков и троллейбусов не зачтены были судом в качестве инвестиций?

— Нет. Логика завода проста. Вот, дескать, обещали столько-то миллионов и не дали. А сколько было «живых» денег потрачено, сколько мазута привезено, сколько менеджеров работало, это не интересовало руководство завода. Они настаивали на деньгах. Подали в суд, чтоб расторгнуть договор и вернуть акции государству. Говорят, будто МЕНАТЕП обманным путем получил эти акции. Но никакого обмана не было. Государство получило деньги за свои акции, столько, сколько они стоили. Заводу были нужны инвестиции. Инвестиций МЕНАТЕП не дал, но оплатил долги, дал мазута и станков столько, что завод стал на ноги, что ему еще надо? Инвестиции ведь не сами для себя существуют, а для того, чтобы заработало производство. Производство заработало, результат был достигнут, какая разница, каким образом? Более грамотное управление, более своевременные действия. МЕНАТЕП организовал посреднические фирмы для продажи апатита. Во всем мире это считается более рентабельным и более технологически обоснованным. Но суд почему-то решил, что посредническая фирма, которая занималась продажей апатита, украла деньги. Логика поразительная: если она покупала по одной цене, а продавала по другой и разницу брала себе, то, значит, она украла. Посредническая фирма покупает у одного и продает другому, а разницу оставляет себе — в этом смысл работы любой посреднической фирмы. А прокурор говорит, что посредник украл.

— Разве это не было схемой ухода от налогов?

— Нет. По «Апатиту» никаких налоговых претензий нет. Там налоги все платили исправно. По «Апатиту» три обвинения. Первое, что они мошеннически завладели акциями. Второе, что они потом организовали продажу «Апатита» и разницу между покупной и продажной ценой присвоили, как бы украли. Третье обвинение, что, когда было решение суда расторгнуть договор и вернуть акции государству, Лебедев и Ходорковский злостно уклонились от исполнения решения суда. Я не говорю уже, что никакого отношения все эти обвинения не имеют к Ходорковскому лично и не доказано, что он был причастен или хотя бы осведомлен о том, что ему вменяют в вину. Я хочу коротенько сказать о злостном уклонении от исполнения решений суда. Возьмите любой учебник или любой уголовный кодекс, и вы поймете, что такое злостное уклонение от исполнения решений суда. Если суд вынес решение, этого недостаточно. После вынесения решения должно быть возбуждено так называемое исполнительное производство, то есть, выписан исполнительный лист, исполнительный лист должен поступить судебному приставу, судебный пристав на основании исполнительного листа должен вынести предписание конкретному менеджеру в МЕНАТЕПе как минимум дважды, иначе не получится злостного уклонения, а менеджер дважды должен отказаться исполнить решение суда. В данном случае решение суда было, но никакого исполнительного производства не возбуждалось, никаких предписаний никакой пристав не писал, никому эти предписания не посылал. Более того, стороны достигли мирового соглашения. МЕНАТЕП доплатил за акции «Апатита». Мировое соглашение было утверждено судом! И когда Ходорковскому и Лебедеву предъявили обвинение по «Апатиту» действовало еще официальное, утвержденное судом, вступившее в законную силу мировое соглашение. Но их обвиняли в том, что они не подчинились решению суда. Не подчинилась по существу в тот момент решению суда прокуратура. Потом уже, спохватившись, прокурорские работники подали протест на решение суда, признающее мировое соглашение по «Апатиту», и решение суда было отменено постфактум. То есть, прокуратура сначала предъявила обвинение, посадила людей, раструбила, что они виноваты, а потом только добилась отмены судебного решения. Вот ведь какие вещи там творились.

— Забавная вещь,— говорю.— То в чем обвиняет Ходорковского и Лебедева суд, не совпадает с тем, в чем обвиняет Ходорковского и Лебедева телевидение.

— Конечно,— Падва безнадежно машет рукой.— Неправду всю и пишут, и говорят. Потому что если сказать правду, всем станет ясно, что Ходорковский невиновен. Вы понимаете, если рассказать правду про так называемое злостное уклонение от исполнения решений суда, если рассказать, что никакого предписания не было, уклоняться было не от чего, и наоборот, было мировое соглашение, утвержденное судом, люди скажут: так за что же их судят? Видите ли, я, с одной стороны, рад, что вы пришли и напишете книгу, а с другой стороны, огорчен. Дело в том, что книг не читают. Ну десять тысяч прочтут ее, ну сто тысяч. А телевидение видят десятки миллионов. И вы своей книгой не можете изменить общественное мнение, которому телевизор месяцами трубил о виновности Ходорковского и Лебедева. Вы своей книгой не сможете убедить людей, что и в эпизоде с Институтом удобрений Ходорковский тоже невиновен. Там закон устанавливал максимальную цену акций. Заплатили максимально. Когда прокурор говорит, что Ходорковский и Лебедев мало заплатили за эти акции, они и не спорят. Мало заплатили, но больше нельзя было по закону. Вот показали бы все это по телевизору. Показали бы, на какие доказательства ссылается обвинение. Показали бы документ за подписью Лебедева, в котором нет подписи Лебедева.

Генрих Павлович Падва, пожилой человек, известный адвокат, долго молчит и после паузы продолжает:
— Иногда удавиться хочется, иногда хочется подать заявление, что я больше не буду работать адвокатом, иногда хочется написать открытое письмо, выступить, рассказать. Но вы понимаете, в чем ужас. Меня умоляла одна телевизионная компания рассказать о деле Ходорковского. Я был в это время на обследовании в Израиле. Они приехали в Израиль брать у меня интервью. Записали интервью, сказали спасибо. Потом я увидел себя в эфире. Полная противоположность тому, что я говорил. Они приклеили ко лжи и пропаганде мою вырванную из контекста фразу: «Да, это совершенно правильно». Получилось, что я подтверждаю ложь. Когда я выходил из зала суда на улицу, на меня смотре-

ли десятки телекамер. Черта-дьявола кого там только не было: и первый канал, и второй канал, и я дал тысячи комментариев, но хорошо, если один-два из них все-таки попали в эфир, обрезанные до неузнаваемости и вырванные из контекста.

— Выходит,— говорю,— Ходорковский и Лебедев сидят по ложному обвинению?

— Да,— говорит Падва уверенно.

— А можно,— спрашиваю,— исправить эту ложь?

— Можно. Городской суд может взять и отменить приговор. Городскому суду, поверьте мне, все будет ясно. Судье Колесниковой тоже все было ясно, она толковая судья.

— Но ведь не отменят?

— Когда-нибудь отменят. Когда власть сменится, дело Ходорковского пересмотрят, а аналогичные дела простых людей пересмотреть забудут. Когда власть сменится, суд будет таким же, как и сейчас. Судьи по звонку из Кремля отменят приговор точно так же, как по звонку из Кремля вынесли его. Нельзя даже мечтать, что приговор будет когда-нибудь справедливым и не продиктованным властью. Мы очень несвободные люди. Однажды я защищал предпринимателя Быкова и был потрясен. Он ведь не Спиноза и даже не бог весть какой интеллигентный человек, но одаренный. Он сидел в клетке, суд пошел на совещание, и Быков сказал прокурору: «Я здесь в этой клетке более свободный человек, чем вы там в своем мундире».

— Мы что же,— спрашиваю,— никогда не доживем до справедливого и независимого суда?

— О-хо-хо! Не доживем. Не в нашей жизни. Помните, была такая депутат Галина Старовойтова? И вот по одному из дел, которые я вел, она написала депутатский запрос. Это было такое время, когда депутаты Верховного Совета были на пике славы и власти. Я пошел выступать. Обвинение и суд смотрели на меня с подобострастием, как на представителя депутата Старовойтовой. Мы выиграли дело. Но мне было противно.

Так вот, если бы из Кремля позвонили верховному судье, и тот бы отпустил Ходорковского, я был бы рад, потому что Ходорковский невиновен, но мне было бы противно. Мне бы хотелось, чтобы верховный судья установил справедливость сам, из любви к справедливости, а не потому что ему велели из Кремля установить справедливость так или эдак. Я хотел бы, чтобы верховный судья сам испытывал потребность в справедливости, и эта потребность была бы сильнее, чем страх перед властью.— Генрих Падва надолго задумывается.— Это прекраснодушные мечты. Этого не будет никогда.

Генрих Павлович Падва, когда говорит это, похож на тихого короля Лира — пожилой человек, оплакивающий рухнувшие иллюзии. Многие люди, с которыми я разговаривал, именно Генриха Павловича Падву винят в том, что процесс Ходорковского проигран. Говорят, будто это Падва посоветовал Ходорковскому не превращать процесс в политическую демонстрацию. Говорят, будто это Падва виноват в том, что вокруг процесса не разразился политический скандал. Говорят, будто Падва был посредником в тайных переговорах между Ходорковским и властью, в результате каковых переговоров власть получила все, что хотела, а Ходорковский не получил ничего.

Я не знаю. Мне предстоит только увидеть, как в Московском городском суде, во время рассмотрения кассационной жалобы адвокат Ходорковского Юрий Шмидт заявит отвод судьям, а адвокат Генрих Падва не поддержит своего коллегу, словно бы заранее смирившись.

ГЛАВА 12

УЗНИК ТИШИНЫ

Я добивался встречи с женой Ходорковского Инной два месяца. Она не хотела со мной встречаться, кажется, потому что я журналист. Когда мы наконец встретились, и я спросил, можно ли включить диктофон, Инна ответила отказом:

— Очень трудно разговаривать, если понимаешь, что это интервью. Надо все время напрягаться и говорить заранее приготовленными фразами, чтоб их трудно было потом вывернуть наизнанку.

Кажется, так она сказала. Поручиться не могу. Диктофона не было. Может быть, настоящие слова Инны Ходорковской заменились у меня в памяти впечатлением от ее слов.

Я спрашивал Инну, узнает ли она мужа в тех статьях, которые он написал в тюрьме. Инна сказала:

— Нет, либо это не он писал, либо он очень изменился. Я должна с ним встретиться лично и понять, что произошло. Не на свидании, не через стекло, не в присутствии посторонних, а пусть его отправят в колонию, и я к нему туда приеду.

Несколько часов спустя Инна прислала мне на телефон эсэмэску: «Хорошо, что мы встретились и поговорили, правда, хорошо». Мы, похоже, понравились друг другу, но из этого вовсе не следует, что Инна узнает себя в моем тексте, или Ходорковский узнает жену в моем тексте, если прочтет книжку.

Родители Ходорковского тоже не хотели со мной встречаться, потому что несколько раз до этого журналисты перевирали их слова. С журналистами вообще встречаться любят только начинающие поп-музыканты. Потому что журналисты в 1996 году врали, будто Россию ждет неминуемая катастрофа, если к власти придут коммунисты во главе с Геннадием Зюгановым. А в 2004-м врали, будто в бесланской школе захвачены в заложники 300 детей, тогда как на самом деле захвачено было больше тысячи. Разумеется, многие журналисты работали честно и даже самоотверженно, но одна ложь отравляет тысячу правд, и поэтому журналисту доказать, что он не лгун, так же трудно, как богатому доказать, что он не вор. Чем больше я работаю журналистом, тем меньше обижаюсь, когда меня заведомо причисляют к племени бессовестных лгунов, чрезвычайно снисходительных к себе и чрезмерно требовательных к окружающим. Я понимаю, что меня нельзя пускать в дом. Даже если твоя частная жизнь устроена на территории старинной усадьбы, обнесена каменной стеной, охраняется камерами наружного наблюдения — все равно она хрупкая и нельзя пускать в нее лгуна.

Мы идем с Мариной Филипповной Ходорковской по территории лицея-интерната «Коралово». Марина Филипповна показывает мне большой белый гриб, растущий под старой липой.

— Смотрите,— говорит,— красота какая растет. Мы не рвем. Десять лет назад, когда я сюда приехала, здесь был заброшенный санаторий, полное запустение. На месте главного здания были только руины. А бывшая обслуга санатория жила в панельном доме без воды. Люди ничего не хотели знать, не читали газет, не слушали радио. А теперь многие остались у нас в лицее работать, и вот слушают «Эхо Москвы» каждый день, из интернета не вылезают. Гражданская позиция появилась, интерес к жизни.

Марина Филипповна говорит, не замечая противоречия. Гражданская позиция и интерес к жизни вытекают, на ее взгляд, из чтения газет, а с журналистами она не хочет встречаться, потому что журналисты все врут.

Борис Моисеевич Ходорковский тоже не замечал противоречий, когда, если вы помните, ходил по офисному домику и искал потерявшуюся маленькую собачку.

— Крыса потерялась! — бормочет Борис Моисеевич.— Я боюсь, как бы она за дверь не выскочила. Найду, пришибу заразу.

— Не волнуйся, Боря, она где-то здесь,— успокаивает мужа Марина Филипповна и поясняет мне.— Собачка, конечно, не заблудится, но она на кошек нападает, а кошки ее задерут.

В этом эпизоде Бориса Моисеевича можно представить заботливым (ищет собачку), а можно и злым (грозится собачку зашибить). На одном только примере с собачкой Бориса Моисеевича можно показать вздорным стариком (только о собачке и думает, когда у него сын в тюрьме), а можно восхищаться его стойкостью (несмотря на то что сын в тюрьме, продолжает воспитывать сирот и не забывает позаботиться даже о собачке).

Романсы, которые Борис Моисеевич исполняет тихим голосом под не слишком настроенную гитару, могут быть предметом насмешек, а могут выглядеть трогательно. Вот какой-то незнакомый человек подошел в суде к Борису Моисеевичу и подарил стихи. И Борис Моисеевич теперь поет:

Там трусливо так судят,
Я все слышу и вижу,
Несвободные люди
Ходорковского Мишу.

Представьте себе, каким жалким выглядел бы Борис Моисеевич Ходорковский, если бы пел этот романс в программе Андрея Караулова «Момент истины». Однако же в фильме, снятом про дело ЮКОСа итальянскими журналистками Карлой Ронгой и Паолой Сальцано, Борис Моисеевич поет, Марина Филипповна слушает, и выглядят они не жалкими вовсе, а благородными родителями, достойно переживающими несчастье, постигшее сына.

Это ведь как все повернуть. Я спрашиваю Марину Филипповну:

— Вы смотрите фильмы по телевизору, в которых рассказывается о том, какой ваш сын преступник?

— Смотрю обязательно все эти фильмы.

— Зачем?

— Врагов надо знать в лицо.

— Вы обижаетесь на авторов этих фильмов?

— Нет, это не обида. Но можно ведь было умнее сделать. Если есть доказательства преступлений, можно ведь было сделать такой фильм, чтоб я сама поверила, будто мой сын преступник. А если надо подкреплять приговор суда этой еще грязью по телевизору, значит, доказательств не хватает. Что же это тогда за суд? Что же это тогда за люди нами управляют, если они заказывают клевету, когда им не хватает доказательств, чтоб посадить человека? Можно же было показать хоть документ какой-нибудь, хоть что-нибудь.

— Я завтра поеду разговаривать с парнем, который снял на НТВ фильмы «Чистосердечное признание».

— А парень-то этот,— спрашивает Марина Филипповна,— он не с Лубянки?

Он не с Лубянки. Корреспондент НТВ Алексей Малков специализируется по криминальным новостям. Про дело ЮКОСа Алексей снял четыре документальных фильма. Он снял фильм «Человек с метлой» про больного олигофренией кировского дворника по имени Сергей Варкентин, которого якобы нанял ЮКОС возглавлять одну из подставных посреднических фирм, устроенных, чтоб уходить от налогов. Еще Алексей снял фильм «Теракт с предоплатой», про то, как выручка от нефти ЮКОСа шла на финансирование чеченских террористов. Еще снял фильм «Бригада из ЮКОСа» про то, как замглавы службы безопасности ЮКОСа Алексей Пичугин организовывал заказные убийства и как руководство ЮКОСа, включая Михаила Ходорковского, было к этим убийствам причастно. Еще снял в серии «Чистосердечное признание» фильм без названия и без титров — историю ЮКОСа: как комсомолец Михаил Ходорковский нечестно разбогател, и как неправедно нажитое богатство привело Ходорковского в тюрьму. Алексей Малков снял документальных фильмов про дело ЮКОСа — больше всех. Другие телевизионные журналисты заметно уступают Алексею Малкову в плодовитости.

Есть много журналистов, не снявших про дело ЮКОСа вообще ни одного кадра. В основном это очень известные журналисты и, как правило, обладатели телевизионной премии «Тэфи». Они не сняли ничего про дело ЮКОСа, потому что к тому времени, как дело ЮКОСа началось, были уже по большей части уволены с телевидения. И мы не знаем, какие фильмы сняли бы про Ходорковского Евгений Киселев, Светлана Сорокина, Леонид Парфенов.

Есть еще журналисты, которые работать на телевидении остались, но снимают фильмы о чем угодно кроме политики. Андрей Лошак, например, снимает про всякие социальные катаклизмы от цунами до преследования безбожников. Елизавета Листова снимает про архитектуру. Им, вероятно, никто даже и не предлагал снять фильм про Ходорковского. Не ровен час откажутся со скандалом или наснимают чего-нибудь идеологически невыверенного.

Есть третья категория журналистов. Нынешняя телевизионная элита. Каждый из них обвинил Ходорковского в чем-нибудь, про что не шло речи в суде. Михаил Леонтьев, например, обвинил в попытке узурпировать власть. Андрей Караулов — в том, что Ходорковский отнял квартиру у режиссера Светланы Враговой, а сторонники Ходорковского готовили, дескать, на день вынесения приговора «оранжевую» революцию. Владимир Соловьев, тот просто заявил, что согласен с приговором суда и что Ходорковский сидит правильно, как будто по закону приговор должен быть еще и утвержден Владимиром Соловьевым. Они нападали на Ходорковского, но в нападках их все же была некоторая избирательность.

Алексей Малков обвинил Ходорковского во всех смертных грехах кроме, кажется, прелюбодеяния. Я полагаю, всякий тележурналист мечтает снять большой документальный фильм, который смотрела бы страна. Но перейти из репортеров в документалисты трудно. Это как перейти из рядовых в генералы. И, я полагаю, Алексею Малкову представился шанс: наснимать больших авторских документальных фильмов, которые покажут в прайм-тайм. Сделать большую и ответственную работу, которая в одночасье выведет тебя из телевизионных рядовых в телевизионные генералы, и не обратить внимания, что нынешние телевизионные генералы отказались почему-то делать эту работу.

Он совсем молодой человек. В первом своем фильме про ЮКОС Алексей стоял в кадре и говорил в камеру мысли. Например, такую:

«Всего того, о чем мы рассказывали, могло бы и не быть, если бы бизнесмены соблюдали законы и платили налоги».

Начиная со второго своего фильма про ЮКОС Алексей в кадре не появлялся, его заменили диктором, голос которого такой громыхучий, что подошел бы для объявления войны или зачитывания сводок советского информбюро. Алексей согласился и с этим.

Он совсем молодой человек с добродушным круглым лицом, с детскими пухлыми щеками и с румянцем на щеках. Мы встречаемся в ресторанчике «Твин пигз» напротив телецентра Останкино. Алексей спрашивает, можно ли он поест, пока мы будем разговаривать, и заказывает себе сладких вареников с вишнями. Он говорит:

— Я же сильно младше вас, вы можете называть меня на «ты», — он говорит со мной очень уважительно, похоже, я для него какой-то там авторитет в профессиональном смысле.

— Ты тоже можешь называть меня на «ты». Почему в фильме «Человек с метлой» ты сам в кадре и сам читаешь закадровый текст, а в остальных твоих фильмах тебя в кадре нет и текст читает диктор страшным голосом?

— Рейтинга не было, — Алексей уплетает сладкие вареники. — Рейтинг у программы, которую озвучивал диктор, получился в три раза выше, чем у программы, где я в кадре.

— Но все четыре программы твои? Текст писал ты, отвечаешь ты?

— Да.

— Ну тогда отвечай.

У Алексея Малкова в фильме «Теракт с предоплатой» довольно толково объясняется, как нефть компании ЮКОС продавалась нелегально через некоего бандита по имени Хожахмед Нухаев. Потом довольно толково объясняется, как Нухаев был связан с чеченскими террористами. Дальше делается простой вывод: нефть ЮКОСа расхищалась через Нухаева, а Нухаев финансировал террористов. Стало быть, нефть ЮКОСа финансировала террористов. Стало быть, Ходорковский финансировал террористов. Главным экспертом в фильме выступает журналист Марк Дейч, и пару раз в кадре Марк Дейч говорит, что вся описываемая схема хищения нефти и финансирования чеченского сопротивления действовала, когда ЮКОС не был еще частной компанией. Я спрашиваю Малкова:

— По-твоему, зритель понимает, что эти слова значат: до того, как ЮКОС стал принадлежать Ходорковскому?

— Эта оговорка Марка Дейча имеет юридический характер,— Алексей продолжает жевать вареники.— На самом деле, когда предприятия приватизировались, люди входили туда задолго до приватизации. Я думаю, зритель понял эту оговорку именно так, как сказал Марк Дейч.

— Не морочь мне голову, Леш. Зритель, по-твоему, понял, что та история, о которой идет речь, произошла до того, как Ходорковский стал владеть ЮКОСом?

— Я думаю, да,— говорит Алексей Малков.

А я думаю, нет. Я думаю, из фильма «Теракт с предоплатой» и из скромной оговорки Марка Дейча зритель не понял, что нефть ЮКОСа похищалась и шла на финансирование чеченского сопротивления тогда, когда компания была государственной и не имела отношения к Ходорковскому. Я думаю, зритель не понял, что Хожахмед Нухаев был тем самым человеком, про которого Марина Филипповна Ходорковская говорит, что очень боялась за сына, когда ее сын выдавливал из Юганска чеченских бандитов. Я думаю, что зритель не понял еще и потому, что в фильме, рассказывающем о делах ЮКОСа до прихода туда Ходорковского, время от времени мелькает Ходорковский.

— Ладно,— говорю.— Давай перейдем к фильму «Человек с метлой».

В фильме «Человек с метлой» Алексей Малков рассказывает, что живет, дескать, в Кирове дворник Сергей Варкентин. Он болен олигофренией, а олигофрения (в кадре детская психиатрическая больница, и детский врач-психиатр объясняет) — это такая болезнь, что человеку можно внушить, что угодно, что угодно заставить делать и говорить. И вот однажды к Сергею Варкентину пришли неизвестные люди и предложили ему стать директором коммерческой фирмы. Варкентин согласился, и несколько лет считал себя директором неизвестно чего, собирался поехать в командировку за границу, подписывал какие-то бумаги, ждал каких-то доходов, но не дождался. Только на суде выяснилось якобы, что Варкентин фиктивно возглавлял одну из посреднических компаний, через которые ЮКОС уходил от налогов. Алексей Малков в этом фильме утверждает, будто, пользуясь безволием человека, больного олигофренией, какие-то подосланные Ходорковским люди склонили бедного дворника стать фиктивным директором фиктивной компании, но не предполагает даже, что точно так же, пользуясь безволием больного, прокуратура могла склонить дворника давать какие угодно показания.

С этим Варкентиным была ужасная история. Его привезли в суд в качестве свидетеля. Если в фильме у Малкова Варкентин был аккуратно причесан и одет в чистый джинсовый костюм, то на суд Варкентин явился нечесаным и в куртке явно с чужого плеча. Рукава были длиннее рук, из носу у Варкентина текло, и он вытирал нос рукавами. Его ввели в зал суда, он огляделся и бросился бежать вон. Охранники поймали его и подвели к судье. Судья попросила у Варкентина паспорт, он отдал паспорт, снова бросился бежать, снова был пойман и приведен, и допрошен. Он был так жалок и отвечал на вопросы так бессвязно, что Ходорковский и Лебедев в клетке смеялись до слез, повалившись друг на друга. Минут через десять Варкентин в зале суда освоился и не хотел уходить, когда его закончили допрашивать. Его вывели. Это было отвратительно. Причем отвратительны были все, кроме Варкентина. Прокурор, который вызвал свидетеля, очевидно не способного отвечать за свои слова. Адвокаты, раскопавшие, что Варкентин этот был судим за изнасилование и отпущен по причине невменяемости. Ходорковский и Лебедев, которые смеялись над бредом больного человека, вместо того чтоб плакать и кричать: «Перестаньте издеваться над человеком! Он же человек!»

Я спрашиваю Алексея Малкова:

— Почему у тебя в фильме «Человек с метлой» нет в кадре ни одного документа, подписанного этим парнем в качестве директора компании? Или нет таких документов?

— Если он подписывал, значит, эти документы есть. И если он приходил в суд в качестве свидетеля, значит, документы есть. Но пока следствие шло, мне никаких документов не давали. Прокуратура не очень контактная. Выступала только Вишнякова (официальный представитель прокуратуры.— В. П.), никто больше не комментировал, я ни с кем не контактировал. Я ссылался только на показания Варкентина.

Так говорит Алексей Малков, переворачивая логику с ног на голову. Наоборот! Наоборот! Если бы документы были, это значило бы, что Варкентин их подписывал. И тогда следовало бы показать эти документы и доказать, что подписывались они ради того, чтобы Ходорковский уклонялся от уплаты налогов. Но даже документов нет. А есть только показания несчастного невменяемого человека, будто он что-то там подписывал.

В этом же фильме «Человек с метлой» Алексей Малков рассказывает еще об одной посреднической компании. На этот раз в Швейцарии. Компанию возглавляла некая русского происхождения француженка по имени Елена Коллонг. Адвокат Антон Дрель говорит про нее, что она вела в Швейцарии дела жены одного из партнеров Ходорковского, а потом пыталась шантажировать Платона Лебедева и требовала отступного за то, что жена одного из партнеров Ходорковского отказалась от услуг Елены Коллонг. Алексей Малков утверждает, будто через Коллонг отмывались в Швейцарии юкосовские деньги. Я спрашиваю Алексея:

— Коллонг у тебя в фильме выступает на какой-то пресс-конференции? Это что за пресс-конференция?

— Это она пресс-конференцию давала в Париже, по-моему. Я сам эту пресс-конференцию не снимал. Ее снимал наш европейский корреспондент.

— Понятно. У тебя в фильме она выносит папки с документами, но из всех этих папок показывает только два документа. Один датирован февралем 1998 года. Это поручение ЮКОСа об обмене акций дочерних компаний на единую акцию ЮКОСа. Оно никакого отношения не имеет к отмыванию денег. Второй документ — это нарисованная от руки схема отмывания денег. Может быть, и верная схема, но от руки нарисованная схема это не документ никакой. У тебя есть объяснение, почему Коллонг не показала ни одного документа посущественней, раз уж у нее их целые папки? Может, у нее нет документов? Может, в папках просто резаная бумага, а Коллонг шантажистка?

— У меня объяснения нет,— честно говорит Алексей Малков.— Я монтировал ту картинку, которую мне прислали.

— Ты спрашивал европейского вашего корреспондента, почему ей дали всего год условно? Это в Швейцарии-то, где за отмывание денег могут ведь и на всю жизнь упечь.

— Нет, не спрашивал.

Алексей Малков доедает сладкие вареники. Он обезоруживающе искренний парень с детскими пухлыми щеками и румянцем на щеках. Искренний, как солдат, который не понимает, почему обвинен в военных преступлениях, если всего лишь исполнял приказ. Я спрашиваю:
— Тебя не смущает, что налоги оптимизировали все предприниматели, и деньги в Швейцарию тоже переводили все, кто мог, а судят только Ходорковского?
— Нет, — говорит Алексей, — я снимаю по материалам, которые предоставляет мне следствие. Если прокуратура займется Потаниным или Фридманом, я сниму и про них.

Он точно солдат. Он привык заранее знать про своих героев, что те преступники. Он не привык проверять материалы, предоставляемые ему прокуратурой для фильмов. Я сижу и думаю, сказать ли ему, что его обманули. Сказать ли ему: «Тебя используют, как дворника Варкентина, и как, может быть, используют меня, если эта книжка, которую я пишу, — часть пиар-кампании ЮКОСа, а мне предложили написать книжку заранее зная, что я наверняка стану оправдывать Ходорковского просто потому, что тот в тюрьме».

Сказать ли? Нет. Не поверит. Журналисту очень трудно поверить, что за всю его блестящую карьеру, может быть, ни разу ему не придется сказать правду, и в лучшем случае удастся только представить точку зрения, отличную от официальной. Нам приносят чай. Мы сидим с Алексеем за одним столом. Он выражает официальную точку зрения, а я — отличную от официальной. У него аудитория десять миллионов человек. У меня дай бог наберется десять тысяч. Может быть, я просто ему завидую?

В фильме «Бригада из ЮКОСа» Алексей Малков рассказывает историю про то, как Ходорковский и Невзлин якобы велели заместителю начальника службы охраны ЮКОСа Алексею Пичугину убить бывшую юкосовскую пиарщицу Костину, сотрудника ЮКОСа Колесова и бывшего совладельца купленной ЮКОСом

Восточной нефтяной компании Рыбина. Пичугин якобы поручил это убийство своему куму, тамбовскому
бизнесмену Горину, Горин перепоручил серийному
убийце Коровникову, а Коровников не смог убить ни
Костину, ни Колесова, ни Рыбина. У Костиной взорвали бомбу на лестничной клетке, никто не пострадал. На
Колесова напали на улице, и он отделался синяками.
Рыбину взорвали машину с двумя охранниками, когда
самого Рыбина в машине не было. Дальше Горин якобы стал требовать за несовершенные убийства денег
у Пичугина и отца Ходорковского Бориса Моисеевича
и был за это убит. И про все это знали якобы Ходорковский с Невзлиным.

Дружбу Ходорковского, Невзлина и Лебедева с за-
мначальника службы безопасности ЮКОСа Пичугиным Алексей Малков доказывает, демонстрируя любительский фильм, снятый про то, как руководители
ЮКОСа ездили в поход на внедорожниках по Кавказским горам. Там в кадре Ходорковский, Невзлин, Лебедев и Пичугин. Можно было предположить, что Пичугин поехал просто охранять начальство, но Малков
предположил, что Пичугин поехал на Кавказ, потому
что с начальством дружил.
— Ты где взял этот любительский фильм? — спрашиваю.
— Он был изъят при обыске,— отвечает Алексей.
— Ты получил его из прокуратуры?
— Да.
— Там есть эпизод, где Невзлин стреляет из ружья,
а Ходорковский что-то бросает в пропасть. У тебя этот
эпизод сопровождается текстом: «Ходорковский заба-
вы ради бросает ручную гранату». На самом деле он
бросает бутылку.
— Но стреляли-то они по-настоящему,— парирует
Алексей.
— Стреляли по-настоящему. На привале Невзлин попросил у охраны оружие, типа, мужик, дай постре-
лять. Ладно, скажи мне: вот Пичугин, бывший офицер ФСБ, второй человек в службе безопасности

крупной компании. Вот, предположим, получает приказ убить Рыбина, Костину и Колесова. И заказывает это убийство не профессиональному снайперу или спецназовцу, а почему-то своему куму. У тебя есть объяснение?

— Есть, конечно. Во-первых, сам Пичугин, видимо, недалекий человек. Видимо, просто плохо знал свою работу. Может быть, Пичугин поначалу Горину доверял. В Тамбове позиции ЮКОСа были очень сильные тогда, в 1998 году что ли. По Костиной, насколько я знаю, ее вообще не заказывали убивать или взрывать. Ее надо было просто избить в подъезде. Убийца Коровников думал, что она просто какая-то торговка с рынка, которая денег должна. А потом, когда он просек, что она в мэрии работает, он изменил тактику. Не избил Костину, как заказывали, а взорвал подъезд, чтобы Костина его лица не видела.

— В итоге получается, что люди, которых было заказано убить или избить, никак не пострадали, а убитым оказался кум Пичугина, которому якобы Пичугин заказывал убийства. Это свидетельствует либо о чудовищном непрофессионализме господина Пичугина...

— ...либо все это сплошные инсценировки,— кивает Алексей.— Я согласен. Но множество свидетелей говорят в суде, что все было именно так, как говорит прокуратура. Там огромное количество свидетельских показаний. Множество деталей, которые нельзя выдумать. Все было так по-дурацки исполнено, что нарочно не придумаешь.

— То есть непрофессионализм убийцы ты считаешь доказательством того, что он убийца?

— Или... я вообще думаю, что службы безопасности крупных компаний могут нарочно создавать опасные для компании ситуации, чтобы доказывать свою нужность начальству. Службы безопасности ведь создавались в начале девяностых, когда каждый день бизнесменов убивали, и тогда службы безопасности действительно были нужны. А сейчас криминала такого нет, и никто не станет нападать на такого огромного монстра, как ЮКОС. Поэтому, может быть, служба безопасности выдумывает врагов, а потом делает вид, что борется с ними.

— Ты совсем не допускаешь, что все эти истории с убийствами — подстава?

— Я допускал. До тех пор пока не прочел материалы дела. Слишком уж там много мелких деталей. И слишком уж они совпадают у разных свидетелей.

— А причем здесь Ходорковский?

— По делу Пичугина Ходорковский проходил свидетелем, но я не верю, чтоб глава компании не был в курсе. Это вертикально простроенная компания, там все под контролем.

— Ты хочешь сказать, глава огромной компании лично парился о том, чтоб набить морду какой-то там уволенной пиарщице?

— Костиной он, может, и не занимался. Но про Рыбина, думаю, он знал точно. Там большие деньги.

— А вот непонятная история про Рыбина. Рыбин ждет покушения. Усиливает охрану, всюду ездит с охраной. Потом в некоторый день приезжает в гости к племяннице, охрану отсылает домой, то есть сам остается без охраны. И именно в этот день охрану и взрывают.

— Я думаю, что это нормальная ситуация — отпустить охрану на ужин. Чтобы они не мерзли в машине, пока он был у племянницы, Рыбин охранников отправил поужинать.

— Тут-то их и взорвали. А ты пообщался со старшим Ходорковским? Я с ним разговаривал вчера, и он мне рассказывал, что к нему не приходил никакой Горин, а если бы пришел Горин, то сразу был бы сдан охране.

— Я общался со старшим Ходорковским на суде. Он мне сказал, что все это блевотина. Комментарий был достаточно коротким. На месте старшего Ходорковского, если бы ко мне пришел киллер и стал жаловаться на свои проблемы, я бы тоже вызвал службу охраны. Я не утверждаю, что Горин действительно говорил со старшим

Ходорковским. Я просто говорю, что есть такие свидетельские показания.

— Свидетели ведь не ходили с Гориным к Ходорковскому?

— Нет, они ждали на улице. Кроме Горина там никого не было.

— А Горин убит. Пропал. И выходит, что ты поверил свидетелям, которые бандиты, а со старшим Ходорковским даже не поговорил?

— Я по-честному несколько раз пытался. Вариантов вообще не было. Два месяца я честно звонил в пресс-центр Ходорковского. То, что их стороны нет ни в одном фильме, это полностью их вина. Я много раз на суд приезжал. Я звонил. Что там за барышня сидит такая странная, руководит пресс-центром?

— Маша Орджоникидзе?

— Не помню, как зовут,— не смог Алексей Малков вспомнить имя женщины, которой звонил целых два месяца.— Странные они какие-то. Каждый, кажется, там свои проблемы решает. Пресс-центр у них заточен конкретно на утаивание информации.

— Скажи мне, ты считаешь Ходорковского убийцей?

— Я не говорил, что он убийца. Обвинение в убийстве ему даже не предъявлено.

— Но в массовом сознании, воспитанном на твоих фильмах, Ходорковский убийца.

— Я не виноват, что Ходорковский руководил ЮКОСом, и ЮКОС замешан в убийствах.

Мы просим в ресторане счет. Я продолжаю задавать вопросы, не надеясь, что Алексей Малков изменит свое мнение о деле Ходорковского. Более того, я хотел бы, чтоб он, этот юноша с честным лицом, убедил меня. Тогда вышло бы просто, что я дурак. А сейчас выходит, что торжествует несправедливость. Я спрашиваю:

— У тебя в последнем фильме «Чистосердечное признание» есть текст, что ЮКОС продан за 150 миллионов, а стоил как минимум 15 миллиардов. Откуда ты взял эту цифру?

— При первом директоре ЮКОСа Муравленко проводили оценку. Я общался с бывшим пресс-секретарем ЮКОСа. Он сказал: от 10 до 15 миллиардов.

— То есть уволенный свидетельствовал против уволившего? Ты ведь знаешь, что Ходорковский купил меньше половины ЮКОСа, что у ЮКОСа был долг 4 миллиарда, и Ходор все отдал? То есть на самом деле он купил пол-ЮКОСа за 4 миллиарда, ты знаешь?

— Но все равно он ведь знал, что покупал.

— У тебя есть фраза в фильме: «Анатомия успехов ЮКОСа всегда вызывала много вопросов, причем Ходорковский не сделал для этого ровно ничего». Вопрос: знаешь ли ты, сколько стоила нефть тогда?

— Ну меньше, чем сейчас.

— Восемь долларов за баррель. Знаешь ли ты, какая была себестоимость нефти в ЮКОСе до Ходорковского?

— Я знаю, что там были проблемы.

— Сколько?

— Не знаю.

— Двенадцать долларов за баррель. То есть получался убыток, даже если нефть шла на экспорт. А транспортировка? А налоги? То есть на самом деле ЮКОС, который покупал Ходорковский, был убыточной компанией. А знаешь ты, какая себестоимость нефти была у ЮКОСа в 2003 году?

— Не знаю.

— Полтора доллара.

— Ну талантливый, конечно, человек,— говорит Алексей Малков про Ходорковского.

Мне кажется, еще немного, и нам удастся договориться. Алексей признает свой фильм оголтелой пропагандой и расскажет, почему согласился делать эту пропаганду, а я расскажу ему, как сам в молодости не умел отличать пропаганду от правды, да и сейчас не умею толком. Я говорю:

— Что ж ты пишешь «анатомия успехов ЮКОСа всегда вызывала много вопросов, причем Ходорковский не сделал для этого ровно ничего». Это же неправда.

Алексей молчит. Давным-давно в какой-то книжке я прочел, что если хочешь угадать мысли человека, надо попытаться повторить его выражение лица. Я пытаюсь. Я знаю это чувство. Он увлекся рассказыванием истории. Этот парень, сидящий напротив меня за столом, увлекся историей о виновности Ходорковского точно так же, возможно, как я увлекся историей о невиновности Ходорковского. Возможно, мы оба рассказываем неправду. Только он в телевизоре, а я нет. Он говорит:

— Моя мама посмотрела мой фильм и сказала: «До твоего фильма я даже не понимала, в чем обвиняют этого человека». Фишка-то в чем. Я рассказал историю в красках и в лицах. Если я соврал, то подайте на меня в суд. Никто ведь не подает. Невзлин видел все эти фильмы. Адвокаты заявили, что мои фильмы — клевета. Пожалуйста. Пусть подают в суд. Почему они не подали в суд? Значит, все нормально?

— Послушай, Леш, может быть, они не подают в суд, потому что не верят судам?

Мы выходим на улицу. Мы идем по мощеной дорожке от ресторанчика к Останкино, и я физически чувствую, как между мной и этим парнем с добродушным лицом и пухлыми щеками пролегает как бы линия фронта. Вот мы идем бок о бок по дорожке, наевшись вареников, а между нами необъявленная гражданская война. Алексей говорит:

— Я когда монтировал этот фильм, мне один из наших корреспондентов сказал: «Ты зачем это делаешь? Ты представляешь, что с тобой будет, если Ходорковский завтра выйдет из тюрьмы? Ты не боишься?» А я не боюсь, понимаешь? Я не хочу бояться. Я против Ходорковского. Я знаю людей, ученых, элиту настоящую, которые из-за таких как Ходорковский живут в нищете и никому не нужны. Наверное, если Ходорковский выйдет из тюрьмы и захочет стереть меня в порошок, он сотрет меня в порошок, но я не хочу этого бояться.

— Послушай, а что если Ходорковский не выйдет из тюрьмы? Что если он погибнет там в тюрьме? Как быть, если через несколько лет выяснится, что он невиновен? Ты не боишься участвовать в травле?

Мы расстаемся. С некоторой гордостью я думаю, что разница между мной и журналистом Алексеем Малковым заключается в том, что он не хочет бояться Михаила Ходорковского, который узник следственного изолятора «Матросская Тишина», а я не хочу бояться Владимира Путина, который президент России. Эта мысль щекочет мое самолюбие, но она неправильная.

Правильная мысль приходит мне в голову минут через двадцать. Я думаю, ни один журналист не смог рассказать правду о том, почему Ходорковский сидит в тюрьме. Ни один из тех, кто работает на государственных телеканалах и ходит на пресс-конференции в прокуратуру. Но и ни один из тех, кого пресс-центр Ходорковского приглашает на брифинги адвокатов. Движимые страхом или бесстрашием, уважением или презрением к Ходорковскому, мы все пытались только рассказать о нем складную историю, на самом деле, рассказывая историю о себе. Все, что снято или написано о Ходорковском, — это мифы о Ходорковском.

Одни мифы, в которых Ходорковский выглядит убийцей и вором, посаженным в тюрьму за убийство и воровство, показывают в прайм-тайм по центральным телеканалам. Другие мифы, в которых Ходорковский выглядит талантливым бизнесменом, посаженным в тюрьму за талант и свободолюбие, — печатаются небольшими тиражами в газетах и на интернет-сайтах. Такое положение дел, конечно, несправедливо, нарушает свободу слова и презумпцию невиновности, но это все равно только мифы. Это в большей степени истории о нас, чем истории о Ходорковском.

Журналист Алексей Малков снимает фильм про то, как Ходорковский неправедно разбогател и загремел в тюрьму, но это не значит, что Ходорковского и впрямь посадили за неправедно нажитое богатство, а значит, что

Алексей Малков живет в стране, где богатство не может быть праведным.

Начальница пресс-центра Ходорковского Мария Орджоникидзе разместила на сайте khodorkovsky.ru презентацию о коррупции под заголовком «За что его посадили», но это не значит, что Ходорковского посадили именно за попытку бороться с коррупцией, а значит, что Мария Орджоникидзе живет в стране, где нельзя бороться с коррупцией безнаказанно.

Ирина Ясина говорит, будто Ходорковского посадили за то, что его общественная деятельность стала слишком походить на деятельность политическую. Но это не значит, что Ходорковского посадили именно за попытку заняться политикой, а значит, что Ирина Ясина живет в стране, где нельзя безнаказанно заниматься политикой.

Григорий Явлинский считает, будто Ходорковского посадили за попытку продать нефтяную компанию, но это не значит, что Ходорковского посадили именно за это, а значит, что Григорий Явлинский живет в стране, где нельзя безнаказанно распоряжаться своей собственностью, поскольку всякая собственность нелегитимна.

Телеведущий Леонтьев считает, будто Ходорковского посадили за попытку узурпировать власть, но это значит только, что Леонтьев живет в стране, где нельзя безнаказанно попытаться стать главой государства.

А телеведущий Караулов живет в стране, где нельзя безнаказанно устраивать «оранжевые» революции.

А адвокат Падва живет в стране, где нельзя добиться правосудия.

А прокурор Шохин живет в стране, где правосудия добиться можно, и правосудие заключается в совпадении приговора с позицией обвинения.

А Владимир Путин, наверное, живет в стране, где нельзя не слушаться Владимира Путина.

В конце концов, найдется ведь кто-нибудь, уверенный, будто Ходорковского посадили, потому что возвращаться плохая примета, а Ходорковский перед последним своим вылетом в Новосибирск вернулся из аэропорта в гостиницу переждать метель.

Это все только мифы. Ходорковский подобен форуму, на котором мы, люди, живущие в России, спорим о том, кто мы есть на самом деле. Половина утверждает, будто мы великая нация. Вторая половина утверждает, будто мы бесправные рабы. У этой второй половины зашит рот.

Конечно, такое положение дел несправедливо. И все же сталкивающиеся мифы о Ходорковском почти не имеют отношения к живому человеку Ходорковскому. Ему сорок два года. Он сидит теперь в зоне за колючей проволокой. Ему тоже, наверное, интересно узнать, кто он и зачем он, и почему сидит. Но он единственный не способен всерьез вмешаться в спор о себе. Даже если он напишет из зоны письмо или статью, люди на воле всегда ведь могут подумать, будто это не он писал. Посреди громогласного спора о себе он — единственный, кто не может разорвать молчания и говорить прямо.

Он узник тишины.

ГЛАВА 13

ЗАКОННАЯ СИЛА

Во время своего заключения Ходорковский несколько раз выступал публично. Он говорил на судебном процессе в свою защиту, написал несколько открытых писем, дал несколько интервью. Он обвинял либералов в том, что либеральные реформы девяностых водворили в России свободу вопреки справедливости, и потому обесценили саму идею свободы. Он обвинял чиновников в том, что те используют власть ради личного обогащения. Наконец, выдвигаясь кандидатом в депутаты по Университетскому избирательному округу Москвы, Ходорковский в своем открытом письме по этому поводу употребил слово «путинщина», то есть обвинил самого президента в том, что тот выстроил и возглавляет коррумпированное государство, ущемляющее свободу и насаждающее несправедливость. Он настойчиво предлагал богатым поделиться сомнительно нажитой собственностью с бедными и таким образом легитимировать собственность и защитить собственность от чиновников, которые тем и сильны, что все в России не без греха, и каждый может быть лишен собственности и посажен в тюрьму и потому боится, и потому слушается и потому несвободен.

Ходорковский довольно много для узника выступал публично, но ни разу не был услышан и понят. Все его выступления тонули в море бесчисленных комментариев, производимых противниками, союзниками, чиновными болтунами, платными болтунами, бесплатными болтунами. Про каждое письмо Ходорковского принято было гадать, значит ли это очередное письмо, что Ходорковский сдается, или, наоборот, очередное письмо значит, что Ходорковский переходит в наступление. Принято было гадать еще, сам ли он писал и не под диктовку ли Кремля. Суть письма всякий раз терялась среди этих гаданий.

Ни одно из публичных выступлений не облегчило участи Ходорковского. Процесс шел своим чередом, как в романе писателя Франца Кафки. Наоборот, как правило, на публичные выступления Ходорковского власть отвечала репрессиями.

В августе 2005-го, когда Ходорковский опубликовал статью «Левый поворот», дал интервью газете «Ведомости» и выразил желание баллотироваться в депутаты, его перевели в общую камеру, а его друга Платона Лебедева не только перевели в общую камеру, но и посадили в карцер.

Тогда Ходорковский начал сухую голодовку. Это была очень странная голодовка. Три дня Ходорковский держал голодовку в тайне от всех. Он не написал начальнику тюрьмы заявление, что вот, дескать, голодает в знак протеста против заключения Платона Лебедева в карцер. И даже своему адвокату Ходорковский сказал, что голодает, только на четвертый день голодовки.

— Зачем же вы голодаете, если не объявили голодовку? — спросил адвокат Антон Дрель.

— Я голодаю для себя,— отвечал Ходорковский.— Я боюсь, что меня станут кормить принудительно и не дадут провести голодовку до конца.

Когда про голодовку стало известно на воле, голодовка Ходорковского немедленно превратилась в такой же предмет для спекуляций, как и открытые письма Ходорковского. Обсуждали в основном, действительно ли Ходорковский голодает и не пьет воды или это он только прикидывается. Официальные телеканалы объявили голодовку Ходорковского обманом, а тюремное начальство не пошло ни на какие уступки и продержало Платона Лебедева в карцере семь дней, как и намеревалось. Семь дней Ходорковский голодал и не пил воды. На воле обсуждали, правда ли он не ест и не пьет. Власть была непреклонна.

Эта голодовка стала первым сообщением, которое Ходорковскому удалось доставить из тюрьмы на волю так, чтоб сообщение было прочитано и понято. Сообщение расшифровывается следующим образом: «Если станешь умирать, власть не заметит, что ты умираешь.

Если скажешь власти, что умираешь, власть не поверит. Власти наплевать, живешь ты или умираешь».

В ответ на эту голодовку, которую даже многие сторонники Ходорковского считали фальшивой, со всей страны посыпались вдруг Ходорковскому предложения баллотироваться в депутаты. Так последний раз было в конце восьмидесятых годов, когда опальному Ельцину вся страна предлагала баллотироваться.

Адвокат Антон Дрель утверждает, что на выдвижение Ходорковского по Университетскому округу Москвы, на создание предвыборного штаба, на шум в прессе и на начало предвыборной кампании не было потрачено ни копейки. Дрель говорит, что впервые за долгие годы политика в России показалась игрой, где на кон не обязательно ставить деньги, а можно ставить и судьбу. И чем больнее проиграет Ходорковский выборы по Университетскому округу города Москвы, чем драматичней будет его судьба, тем более весомым политическим аргументом она станет.

Через пару недель после голодовки Ходорковского какой-то оперуполномоченный в тюрьме «Матросская Тишина» избил заключенного. И вся тюрьма объявила голодовку. Этой голодовкой заключенные не утверждали, что они ангелы. Они утверждали просто, что их нельзя бить. Не знаю, понятно ли я выражаюсь, но Ходорковский был у каждого из них внутри, как Джон Ячменное Зерно.

Четырнадцатого сентября в Московском городском суде началось рассмотрение кассационной жалобы по делу Михаила Ходорковского. Судебное разбирательство в первый же день было перенесено на неделю. Выяснилось, что адвокат Генрих Падва не просто возглавляет защиту Ходорковского, а является единственным адвокатом, с которым у Ходорковского заключено соглашение. И адвокат Падва заболел.

Разумеется, адвокаты Михаила Ходорковского были заинтересованы в затягивании процесса рассмотрения кассационной жалобы. Они много раз говорили, что заседание в Мосгорсуде по делу Ходорковского назначено слишком поспешно и защите не хватает времени подготовиться к процессу. Адвокаты говорили, что поспешность эта политическая и смысл ее в том, чтобы Михаил Ходорковский не успел зарегистрироваться кандидатом в депутаты по Университетскому округу Москвы. Заявление Ходорковского с просьбой зарегистрировать его кандидатом лежало у начальника тюрьмы и не отправлено было в избирком. Если бы процесс начался 14 сентября и закончился в несколько дней, и обвинительный приговор вступил бы в законную силу, заявление могло не быть отправлено вовсе, и Ходорковский не успел бы не только избраться в Думу, но даже и провести избирательную кампанию, хоть сколько-нибудь побыть политиком, хоть что-то сказать.

В 11.00 в зале суда были уже журналисты, родственники осужденных, прокурор Дмитрий Шохин, гражданские истцы (то есть представители налоговой инспекции) и десять человек конвоя. В стеклянной клетке были осужденные Михаил Ходорковский и Платон Лебедев. Но адвокатов Ходорковского и Лебедева не было никого, ни одного человека. Целый ряд стульев, предназначенных для адвокатов, стоял пустой. Платон Лебедев из-за стекла махнул начальнику конвоя, окружавшего клетку, и сказал что-то про свободу.

— Что? — переспросил конвоир.

— Свободных мест много, садитесь,— повторил Платон Лебедев.

Он очень плохо выглядел. За три месяца, прошедшие со времени вынесения приговора, он заметно осунулся и похудел, лицо у него было бледным, под глазами были глубокие тени. Войдя в клетку, Платон Лебедев сразу сел на скамейку, тогда как Михаил Ходорковский остался стоять. Впрочем, Платон Лебедев растягивал пальцами углы рта, как бы призывая всех пришедших улыбаться.

В 11.20 адвокатов все еще не было. В 11.30 журналисты, нарушая запрет на пользование мобильными телефонами в зале суда, выяснили, что 12 сентября Генрих Падва госпитализирован по поводу обострения некоего хронического заболевания.

В 11.40 судебное заседание все же началось. Председательствующий судья Вячеслав Тарасов сказал:

— Приносим извинения за задержку. Связана она с неявкой адвокатов. Причины пока выясняются. Защита, как и прокурор, значит, э-э-э... извещены в законном порядке.

Судья обратился к Платону Лебедеву и спросил, действительно ли тот не желает участвовать в процессе. Лебедев тяжело поднялся, приблизился к микрофону и отвечал:

— Я выражаю категорический протест против моей незаконной и насильственной доставки в суд. Я требую удалить меня из зала суда, поскольку еще в июне отказался участвовать в этом процессе...

— По какой причине? — переспросил судья.

— Дайте мне закончить. Я велел адвокатам обжаловать приговор и запретил адвокатам участвовать в процессе.

— По какой причине?

— Я запретил.

Тут, кажется, судье стало ясно, что Платона Лебедева не собьешь с выбранной им тактики, и судья распорядился, чтобы подсудимого увели. Пришла очередь осужденному Ходорковскому отвечать на вопрос судьи.

— Известно ли вам что-нибудь о неявке адвокатов?

— Ваша честь,— Ходорковский был подчеркнуто вежлив,— я сообщал вчера суду письменно через администрацию изолятора, что мною заключено соглашение только с одним адвокатом, Генрихом Павловичем Падвой. Причины понятны. Районный суд очень сократил время, отпущенное на подготовку кассационной жалобы. Адвокатам пришлось разобрать приговор на части и работать каждому со своим куском. Полной информацией обладал только Генрих Падва. Вчера меня уведомили, что Генрих Павлович госпитализирован.

— Вам известно о причинах неявки? — спросил судья.

— Я просил адвокатскую контору Генриха Павловича представить суду справку о его госпитализации.

Ходорковский был невозмутим. В отличие от прокурора. Прокурор Дмитрий Шохин говорил эмоционально:

— При рассмотрении вопроса, проводить ли суд в отсутствие адвоката Падвы, надо опираться на статью 376 пункт 4 УПК. Неявка лиц, своевременно извещенных, не препятствует проведению...— от возмущения прокурор забыл докончить фразу.— Возможно, речь идет о банальной попытке затянуть процесс. Падва самостоятельно обратился в приемное отделение больницы №50 и был госпитализирован. Это обращение носит не экстренный, а плановый характер.

С этими словами прокурор представил суду справку о том, что адвокат Падва сам пришел в больницу. В справке, представленной адвокатской конторой, не утверждалось, будто адвоката отвезли в больницу на «скорой». Но утверждалось, что госпитализировали срочно. Суду пришлось объявить перерыв, чтобы сверить справки.

В перерыве я подошел к матери Ходорковского и спросил:

— Как вы думаете, процесс отложат или станут проводить без Падвы?

— Я думаю, станут проводить,— отвечала Марина Филипповна печально,— а Падва правда заболел.

Дальше она принялась рассказывать, чем отличается содержание заключенных в изоляторе №1, куда перевели ее сына в начале августа, от содержания заключенных в изоляторе №4, где он сидел до того, как вознамерился стать политиком. Выяснилось, что если хочешь послать заключенному передачу в первый изолятор, надо занимать очередь в пять утра. Еще выяснилось, что нельзя передавать в тюрьму туалетную бумагу, а в тюремном ларьке туалетная бумага закончилась.

Минут через сорок заседание суда продолжилось, но только для того, чтоб судья объявил новый перерыв еще на два часа.

— Не дозвонились, наверное, до кого-то важного,— резюмировала Марина Филипповна.

Во время второго перерыва в суд пришла жена Михаила Ходорковского Инна, которой с утра надо было отвести детей в школу. Я спросил ее:

— Вы думаете, отложат суд или будут проводить без Падвы?

— Отложат, наверное,— сказала Инна.— Не могут же они совсем без адвоката. Даже если они и думают, что мы специально затягиваем.

Потом Инна стала рассказывать, чем отличаются свидания в изоляторе №1 от свиданий в изоляторе №4. В четвертом изоляторе Инна разговаривала с мужем через стекло. Теперь разговаривает через два стекла и решетку.

— Он мне говорит «прорвемся»,— она пожала плечами.— А я ему говорю: куда уж прорвемся — раньше было одно стекло, теперь два стекла и решетка.

Когда кончился перерыв, Инна оказалась в двух метрах от мужа, но им было запрещено разговаривать. Они разговаривали беззвучно. Глядя на жену, Михаил Ходорковский быстро шевелил губами, и жена так же одними губами отвечала ему. Ходорковский двигал ладонью так, будто гладит жену по голове, шутливо грозил ей за что-то пальцем, изображал пальцами бегущего человечка, рисовал пальцем в воздухе какой-то квадратный предмет...

Заседание продолжалось. Судья сообщил, что, по его сведениям, адвокат Падва действительно серьезно болен, госпитализирован в урологическое отделение и может проболеть месяца полтора. А суд не может быть отложен больше чем на месяц, и поэтому, сказал судья, пусть Ходорковский выберет себе другого адвоката или суд сам адвоката назначит.

— Ваша честь,— сказал Ходорковский,— насколько мне известно, Генриху Павловичу завтра сделают биопсию.

Результаты будут известны в пятницу или понедельник. Если выяснится, что форма болезни не агрессивная, во вторник или в среду Генрих Павлович придет на суд. Или у меня будет другой адвокат, которому не придется долго знакомиться с делом.

— Если ситуация будет развиваться по плохому развитию, не дай бог,— сказал судья Ходорковскому и постучал по дереву,— сможете вы ответить в понедельник в 11 утра, кто у вас адвокат?

— Если будут известны результаты биопсии,— осужденный пожал плечами.— Прокурор с больницей связан напрямую. Если он сможет узнать быстрее, чем я...

— Я думаю, прокурор узнает утром в понедельник,— кивнул судья.

Суд перенесли на следующий понедельник. Ходорковский просил только, чтобы его могли посещать в тюрьме адвокаты.

— Если они заключат соглашение,— нашелся судья,— то, конечно, смогут посещать вас и советоваться.

— У них заключено со мной соглашение на представление моих интересов в Страсбурге,— улыбнулся Михаил Ходорковский.

— Ну здесь не Страсбург,— судья не улыбался.

В понедельник, 19 сентября, заседание продолжилось.

— Ходорковский, встаньте,— сказал судья, ровно в 11 утра открыв заседание.— Вы обещали определиться с адвокатом.

— Ваша честь,— Ходорковский встал в стеклянной клетке.— После прошлого заседания, буквально на следующий день, в три камеры из десяти на нашем этаже втолкнули инфекционного больного, на полчаса в каждую камеру, и объявили строгий карантин. Только случайностью можно объяснить, что в одной из этих трех камер сижу я, а в другой — Платон Лебедев.

Ходорковский стал рассказывать, что из-за карантина никого из адвокатов, защищавших его в суде первой инстанции, во все эти дни не пустили к нему в изолятор. Ходорковский говорил, что из-за этого не мог справиться о состоянии здоровья своего адвоката Генриха Падвы и не мог узнать, кого адвокат Падва советует назначить вместо себя.

Судья не слушал. Судья обратился к прокурору Дмитрию Шохину и спросил, располагает ли обвинение сведениями о состоянии здоровья адвоката Падвы. Обвинение располагало. Прокурор Шохин представил суду справку, из которой следовало, что лечиться адвокат Падва будет не меньше месяца и, стало быть, не может участвовать в судебных заседаниях. В зале присутствовали адвокаты Антон Дрель, Денис Дятлев и Елена Левина, защищавшие Михаила Ходорковского в суде первой инстанции, и Михаил Ходорковский пытался ходатайствовать из клетки:

— Ваша честь, я хотел бы поговорить с адвокатами, защищавшими меня в суде первой инстанции, узнать, если справка соответствует действительности, кого Генрих Павлович Падва считает наиболее подготовленным, чтоб защищать меня.

Судья не слушал. Прокурор продолжал говорить.

— Я считаю,— говорил прокурор,— что высокопрофессиональные адвокаты Дятлев, Дрель и Левина, присутствующие в зале, не только вправе, но и обязаны защищать Ходорковского Михаила Борисовича.

— Ваша честь,— пытался возражать Ходорковский,— ни один нормальный человек, кроме судей Мосгорсуда, не в силах изучить так быстро 400 томов дела. Адвокат Дятлев занимался только одним эпизодом. Адвокат Левина помогала Генриху Павловичу Падве с протоколом. Я просто не знаю, кто из адвокатов способен...

Судья не слушал и объявил короткий перерыв. После перерыва огласил решение: «Осужденный Ходорковский заявил, что не возражает об участии адвокатов Дятлева, Дреля и Левиной. Заслушав стороны, суд не нашел оснований, препятствующих допущению Дятлева, Дреля и Левиной к защите Ходорковского Михаила Борисовича».

После этого решения был объявлен еще один перерыв на полчаса, и адвокатам, назначенным без согласия осужденного, разрешили наконец с этим самым осужденным поговорить.

Во время перерыва в суд пришел Иван Стариков, член политсовета СПС и глава инициативной группы, выдвигавшей Михаила Ходорковского в депутаты Госдумы по Университетскому округу Москвы. Выслушав мой рассказ о том, что было в первой части судебного заседания, Иван Стариков сказал о судье и прокуроре:

— Как же их земля-то носит! Это же как процесс над Иосифом Бродским! Куда же они эмигрировать-то будут, когда правда восторжествует!

— Это заявление для прессы? — переспросил я.

— Официальное! Для прессы! — подтвердил Иван Стариков.— Как же их земля-то носит!

Еще Иван Стариков рассказал, что его инициативная группа готова собрать 100 тысяч подписей в поддержку Ходорковского, что в их штаб каждый день приходят молодые люди и что если даже Ходорковского снимут с выборов, инициативная группа не прекратит избирательной кампании.

— Власть играет не по правилам,— говорил Иван Стариков.— И мы тоже вынуждены играть не по правилам. Мы проведем народные выборы. Ко мне пришли студенты из радиотехнического и предложили придумку предвыборную. Знаешь, что такое резистор? Это по-другому называется «сопротивление». Мы будем вставлять в лацкан пиджака резистор, и в Кремле тоже многие будут носить резистор на лацкане пиджака, только с изнанки. Путину трудно будет войти в клуб уважаемых экс-президентов. У него в тюрьме к политическому заключенному инфекционных больных подсаживают.

В конце перерыва адвокат Антон Дрель рассказал мне, что человек, которого помещали последовательно в камеры к Платону Лебедеву и Михаилу Ходорковскому, назвался Алоисом Томашевичем и сказал, что у него кишечная инфекция и до этого он лежал в тюремной больнице.

Перерыв кончился. Судья потребовал, чтоб адвокаты Дрель, Дятлев и Левина пересели с мест для родственников на места для адвокатов. Они послушались, но всякий раз, когда судья обращался к ним, адвокаты молчали в ответ. Они только передали суду заявление, где говорилось, что закон запрещает назначать их адвокатами вопреки желанию осужденного.

Михаил Ходорковский попросил слова:

— Ваша честь, я получил ту информацию, которую мне не дали получить в изоляторе. Данные, предоставленные прокурором, не соответствуют действительности. Генрих Павлович Падва обещал к концу недели выйти из больницы и защищать меня. Если же он не выйдет, то наиболее подготовленным адвокатом он считает Юрия Марковича Шмидта.

Тут прокурор сорвался. Он почти кричал, что адвокаты не имеют права отказаться от защиты и ходатайство Ходорковского дать ему в адвокаты Юрия Шмидта не выдерживает никакой критики.

— Это некорректное заявление,— говорил прокурор, прозорливо полагая, что Юрий Шмидт является тем самым адвокатом, которому больше всех времени понадобится на ознакомление с материалами дела.— Шмидт-то как раз и занимался всего одним эпизодом. Теперь уже совершенно очевидно, чего добивается Ходорковский.

Прокурор забыл сказать еще, что адвокат Юрий Шмидт живет в Петербурге и ему потребуется время, чтоб добраться до Московского городского суда.

Так или иначе, слушания перенесены еще на день.

Двадцатого сентября заседание опять было перенесено. Еще на два дня. Заседание началось с автомобильной пробки. Забота о безопасности Московского городского суда во время рассмотрения кассационной жалобы Ходорковского заставила милицию перекрыть кордонами улицы, прилегающие к зданию суда. Из-за кордонов создались автомобильные пробки. В автомобильных пробках застрял адвокат Антон

Дрель, которого суд накануне против воли самого адвоката и против воли осужденного «допустил» осужденного защищать и обязал явиться на заседание. Адвокат звонил из машины в суд и говорил, что опаздывает по независящим от него причинам. Адвоката ждали пятнадцать минут.

Явившись наконец в суд, адвокат Антон Дрель сразу подтвердил председательствующему судье Вячеславу Тарасову, что отказывается от ведения процесса. Адвокаты Денис Дятлев и Елена Левина тоже подтвердили высказанное накануне нежелание защищать Михаила Ходорковского против его воли. Михаил Ходорковский в свою очередь тоже еще раз отказался от услуг адвокатов Дреля, Дятлева и Левиной, настаивая на том, что защищать его будут адвокат Генрих Падва или адвокат Юрий Шмидт.

Прокурор Дмитрий Шохин на основании больничной справки и Уголовно-процессуального кодекса возражал, что адвокат Падва госпитализирован и не может никого защищать. А про адвоката Шмидта прокурор предоставлял справку из аэропорта Пулково, что господин Шмидт еще 6 сентября выехал в Копенгаген и неизвестно, когда вернется.

— Странно,— улыбнулся прокурору Шохину адвокат Дрель,— 15 числа своими глазами видел Шмидта в Москве, честно. Что-то не то у вас с пограничной службой.

А Михаил Ходорковский настаивал: хоть Генрих Падва и в больнице, но через два дня обещал выписаться, хоть Юрий Шмидт и за границей, но через два дня обещал приехать.

Судья спросил:

— Почему вы, Ходорковский, выбираете себе таких адвокатов, которые либо лежат в больнице, либо уехали за границу?

— Потому,— отвечал Ходорковский,— что из всех адвокатов, защищавших меня в суде первой инстанции, только эти двое достаточно компетентны, чтоб вести такой сложный процесс в столь уважаемом суде.

Пришлось суду перенести слушания на четверг, 22 сентября.

После заседания Иван Стариков, глава инициативной группы, выдвигающей Ходорковского в депутаты Госдумы, говорил журналистам в фойе:

— У нас все документы для избиркома собраны. Нету только уведомления о желании Михаила Борисовича стать кандидатом в депутаты. Это уведомление Ходорковский написал давным-давно. И передал начальнику изолятора, потому что для заключенного начальник тюрьмы является как бы нотариусом. Начальник тюрьмы уведомление Ходорковского заверил и 15 сентября послал по почте в избирательную комиссию. Так вот уведомление до сих пор не дошло, и мы очень обеспокоены работой почты. Сегодня адвокат Антон Дрель пойдет в изолятор и будет настаивать, чтоб Ходорковский написал еще одно уведомление, а начальник тюрьмы опять заверил его и выдал нам на руки. Мы сами его отвезем в избирком. Мы быстрее почты.

Посреди этих процессуальных споров и разговоров о политике никто не вспомнил, что 22 сентября в 00.00 истекал срок давности по эпизоду, связанному с приватизацией НИИ удобрений и инсектофунгицидов. Если бы суд исключил этот эпизод из обвинительного заключения, девятилетний срок осужденному Ходорковскому мог быть сокращен. Впрочем, не обязательно: оставшихся эпизодов было достаточно, чтобы сохранить срок прежним.

Двадцать второго сентября рассмотрение кассационной жалобы Михаила Ходорковского и Платона Лебедева закончилось. Начиналось заседание довольно размеренно. В зале заседаний адвокат Генрих Падва, накануне выписавшийся из больницы, предъявлял суду больничный лист и рассказывал, что врачи настаивают на операции, а он письменно отказался от операции и явился в суд.

Официально адвокат Падва сообщил, что пытался накануне посетить своего клиента Ходорковского в следственном изоляторе, но в изолятор адвоката без всяких законных на то оснований не пустили. Поэтому теперь адвокату и осужденному надо поговорить, и начинать без этого процесс нельзя.

Адвокат Юрий Шмидт тоже настаивал на том, что ему нужно поговорить с осужденным, и предлагал отложить процесс еще на день, чтоб можно было адвокатам пойти в изолятор к Ходорковскому и вместе подготовиться к защите.

Сам Михаил Ходорковский просил отложить рассмотрение кассации на восемь недель, чтоб дать ему время ознакомиться с документами, потому что он успел ознакомиться только с четвертью документов.

Судья Вячеслав Тарасов заседание откладывать не стал, разрешил адвокатам поговорить с их клиентом, но только в зале суда. Объявили перерыв. В перерыве ко мне подошла жена Ходорковского Инна:

— Я должна сказать кому-то из журналистов. Я же ведь должна сказать?

— Что? — переспросил я.

— Понимаете, уже четыре недели у меня не принимают медицинские передачи. Вчера в тюрьме был день медицинских передач. И у меня опять ничего не приняли. Ни мед, ни витамин С, никаких лекарств. Я не знаю, как он там держится.

Мы разговаривали с Инной в фойе перед залом суда. Подошел адвокат Антон Дрель, рассказать, что в адвокатскую палату поступило представление прокуратуры о лишении его адвокатского статуса за отказ защищать Михаила Ходорковского. Мы обсуждали, как назавтра адвокат Дрель пойдет в Министерство юстиции и выяснит, действительно ли существует такое представление и не сошла ли прокуратура с ума. Вокруг нас сидели на креслах многочисленные журналисты, и вдруг все журналисты вскочили и побежали.

— Что там? — остановил я одного из коллег.

— Немой заговорил! — крикнул коллега, пробегая в дальний угол фойе.

Там, в углу, впервые разговаривал с журналистами прокурор Дмитрий Шохин. Прокурор говорил, что защита Ходорковского намеренно затягивает процесс, что никаких нарушений закона нет, что все участники процесса были извещены о процессе вовремя, что времени на изучение документов предоставлено Михаилу Ходорковскому было достаточно.

— Две недели на шестьсот страниц? — спросили сразу несколько журналистов.— Вам-то самому хватило предоставленного времени, чтоб изучить приговор?

— Времени было предоставлено ровно столько, сколько необходимо,— сказал господин Шохин.

С этого момента заседание стало стремительным. Перерыв окончился, стал выступать адвокат Падва, и судья Тарасов все время торопил его. Адвокат Падва говорил, что по большинству эпизодов нет состава преступления, по всем без исключения эпизодам не доказана причастность Михаила Ходорковского к преступлениям, а по некоторым эпизодам не установлен даже сам факт преступления.

— Вы что просите? — перебивал судья.

— Отменить приговор и закрыть дело,— отвечал адвокат.

— У вас все?

— Нет, ваша честь, я только начал.

Адвокат Падва говорил, что по эпизоду с заводом «Апатит» истек срок давности, поэтому в определении суда не может говориться, что Ходорковский виновен.

— Это все изложено в вашей жалобе,— перебивал судья.

Адвокат продолжал, что по остальным эпизодам нарушен принцип презумпции невиновности. Что показания свидетелей защиты не приняты судом. Что протокол одного из обысков отвергнут судом, потому что суд посчитал понятых заинтересованными, и в то же время суд допросил следователя, осуществлявшего этот обыск, в качестве свидетеля, не посчитав следователя заинтересованным лицом. Из слов адвоката выходило, что Михаил Ходорковский невиновен, а суд проведен с грубейшими нарушениями Уголовно-процессуального кодекса.

Адвокат Падва говорил часа два с половиной. Через час попросил пятиминутный перерыв. Перерыв был объявлен. Еще через час адвокат попросил второй перерыв, но судья велел адвокату продолжать. Голос у адвоката сел, он поговорил еще минут десять, опираясь на стол, и, сказав, что не может больше, завершил речь почти что на полуслове.

Адвокат Юрий Шмидт тоже просил перерыва, но не получил его.

— Эта неуместная поспешность объясняется тем, что власть пытается воспрепятствовать Ходорковскому баллотироваться в Госдуму...

Судья перебивал и его:

— Переходите к сути дела...

Адвокат подробно разбирал эпизод с неуплатой Михаилом Ходорковским своих налогов.

— Это изложено у вас в жалобе! — перебивал судья.

— У нас процесс устный,— парировал адвокат.— Это вроде как считается достижением цивилизации.

Пока говорили адвокаты, в милицию поступил звонок, что здание Мосгорсуда заминировано. Приехали пожарные и кинологи с собаками. Всех сотрудников суда эвакуировали. Только мы, журналисты и участники процесса, на шестом этаже не знали, что здание эвакуируют. К нам только часа через два пришли милиционеры и сказали, что бомбы никакой в здании нет, опасность миновала. Так мы узнали, что вообще была какая-то опасность.

Пришла очередь говорить Ходорковскому. Он сказал:

— Разобраться в моей невиновности просто. Меня признал виновным не суд, а группа бюрократов, убедившая власть, что мне нельзя финансировать оппозицию... Но кремлевские чиновники приходят и уходят. Те, кто растаскивает ЮКОС, тоже через несколько лет уедут на Запад. Это люди без чести и совести. Для них ничего не значат Родина и ее будущее. Давайте вместе подумаем о будущем.

После этих слов Ходорковский стал подробно разбирать эпизод, связанный с незаконным кредитованием компании «Мост»,— единственный эпизод, который, по словам Ходорковского, он успел изучить. Он тоже говорил долго и тоже попросил пятиминутный перерыв. Судья в ответ дал Ходорковскому пять минут на завершение речи.

Здание суда давно закрылось. Внутри, кроме участников рассмотрения жалобы Ходорковского, никого не было. Во время одного из коротких перерывов представители налоговой службы, выступавшие в суде гражданскими истцами, вышли на улицу покурить, и милиционеры оцепления не хотели пускать их обратно — говорили, что суд закрыт.

Речь прокурора была короткой: он только настаивал, что срок давности по эпизоду с НИИУИФ истекает не 22, а 23 сентября. То есть, еще не истек.

Собственно, прения сторон заняли всего восемь часов. Около девяти вечера суд огласил решение. Эпизод с «Мостом» был исключен из приговора за отсутствием состава преступления. По эпизодам с «Апатитом» и НИИУИФ приговор был смягчен. По совокупности обвинений общий срок — восемь лет.

Приговор вступил в законную силу.

Последним письмом, которое Михаил Ходорковский написал из тюрьмы «Матросская Тишина» перед отправкой в читинскую колонию, оказалось именинное поздравление президенту Владимиру Путину, опубликованное в газете «Коммерсантъ». Поздравление это устроено как пророчество цыгана — что бы ни случилось, пророчество окажется верным:

«Уважаемый Владимир Владимирович! К сожалению, у меня сейчас по известным вам причинам нет возможности поздравить вас лично, и потому я воспользовался помощью газеты „Коммерсантъ". Есть люди, которые умеют говорить о ваших достоинствах профессионально. Я в этом смысле — любитель, самоучка. И потому скажу то, что думаю на самом деле. Вы — очень мужественный человек, поскольку согласились, будучи подполковником, занять больше чем маршальскую должность.

Вы — весьма удачливый лидер, которому удалось спасти и сохранить главное достояние современной России — высокие цены на нефть.

Вы — прекрасный друг и партнер: даже своей репутации вы не пожалели ради ваших товарищей, которые разрушили ЮКОС, еще недавно крупнейшую нефтяную компанию страны.

Вы — человек щедрый и явно любящий футбол.

У вас сегодня есть почти все. И я хочу пожелать вам того немногого, чего у вас нет: свободы и покоя. Вы обретете их, когда в соответствии с Конституцией России уйдете с этого неблагодарного президентского поста. Бог даст, скоро увидимся…»

Панюшкин Валерий
Михаил Ходорковский. Узник тишины
История про то, как человеку в России стать свободным
и что ему за это будет

РЕДАКТОР И. Гансвинд
ХУДОЖНИК А. Ирбит
ВЕРСТКА Н. Якунинская

Подписано к печати 15.11.2005. Формат 84x100/32.
Бумага офсетная. Гарнитура «Октава». Печать офсетная.
Усл. печ. л. 8,25. Уч.-изд. л. 12,21. Тираж 25 000 экз.
Заказ № 3216.

ЗАО Издательский дом «Секрет фирмы»
105066, Москва, Токмаков пер., д. 21/2, стр. 1
Интернет: www.sf-online.ru/books
E-mail: bookpublisher@sf-online.ru

Отпечатано в ОАО «Типография «Новости»
105005, Москва, ул. Фридриха Энгельса, д. 46